8-25

D1543304

82. S. Cheterynen Gasthuys
83. De Breede straet
84. Morfemans steegh
85. Visch Marckt
86. Dief steegen
87. S. Pieters Cors steegen
88. Het Raethuys
89. Wol steegh
90. Coranbrugh
91. Toren steegh
92. Aort steech
93. Cuarlemmen steegh
94. Katelboster steegh
95. Plaet steegh
96. Lange brugh
97. Bogart steeghen ⊕ Ras hal
98. Sonnevelt steegh
99. S. Iacob ofte Zaoyhal
100. Ham steech
101. Haeren steegh
102. Falyde Begynen
103. S. Pieters Kerch
104. Cheuningen huys
105. Breeckhovens Hofie
106. Heut straet
107. Kloch steegh
108. Pelocaen
109. Noort ende
110. 't Sant
111. 't Fransche colagie
112. Seftor van Room
113. De Doolens
114. Dael steegen
115. Vniversitwyt
116. Nonnen steegh
117. S. Caturnen
118. Catarynen steech
119. Groenendael steegh
120. Heuten steech
121. Calfmaker en Krom elborg steeg
122. 't Duytsche collagie
123. De Segor steegh
124. Emans
125. Ierusalem
126. Iaoten poort
127. Backer steegh
128. Mole steech ⊕ Suveston steeg
129. Raem steegen
130. Oysterling plaets
131. Kyf hoeck straeten
132. Stench steegh ⊕ Kaerde hangs
133. Barbaren steegh
134. S. Ioris steegh
135. Krauwel steech
136. Coome steegh
137. Vrouwen steegh
138. Wielmaker steegh
139. De Maschwoert
140. Amfterdams en Haerlemer veer
141. Mandemakers steeg
142. Knotter en Velde steeg
143. A Pruwels of S. Salvators hofie
144. Mey Laerpen steeg
145. S' Pieters kerch gracht
146. De Paer kaey
147. Nieuwe Kerck
148. Goldeloos ofte Philosophs gaetye
149. S' Barbaren hofie

Amplißⁱ Prudentißⁱ vⁱⁱˢ
D.D.
PRÆTORI, CONSVLIBVS,
SCABINIS,
Totique Senatui, Vrbis Lugdonobatava;
Hanc tabulam D.D. I. Blaeu

REMBRANDT
ET
SES ÉLÈVES

UNE EXPOSITION DE PEINTURES
COMMÉMORANT LE 300e ANNIVERSAIRE
DE REMBRANDT

SOUS LE HAUT PATRONAGE
DE SON EXCELLENCE
MONSIEUR THEODORUS BOT
AMBASSADEUR DES PAYS-BAS
AU CANADA

LE MUSÉE DES BEAUX-ARTS DE MONTRÉAL
MONTRÉAL: 9 JANVIER AU 23 FÉVRIER 1969
ART GALLERY OF ONTARIO
TORONTO: 14 MARS AU 27 AVRIL 1969

REMBRANDT
AND
HIS PUPILS

A LOAN EXHIBITION OF PAINTINGS
COMMEMORATING THE 300th ANNIVERSARY
OF REMBRANDT

UNDER THE HIGH PATRONAGE
OF HIS EXCELLENCY
DR. THEODORUS BOT
AMBASSADOR OF THE NETHERLANDS
TO CANADA

THE MONTREAL MUSEUM OF FINE ARTS
MONTREAL, JANUARY 9 — FEBRUARY 23, 1969
ART GALLERY OF ONTARIO
TORONTO, MARCH 14 — APRIL 27, 1969

FULTON-MONTGOMERY COMMUNITY
COLLEGE LIBRARY

39794r

Copyright Canada 1969
Printed in Great Britain by
Robert Stockwell (Export) Limited, London, S.E.1
Designed by Robert R. Reid

All photographs have been furnished by the lenders, except
for the maps, which are from the University Library, Leiden
University, through the good offices of Mr. M. Meijer Elte
and the courtesy of the University Library.

Tous droits réservés, Canada 1969
Imprimé en Grande Bretagne par
Robert Stockwell (Export) Limited, London, S.E.1
Projet de Robert R. Reid

Les prêteurs ont fourni toutes les photographies, à
l'exception des cartes qui proviennent de la Bibliothèque
Universitaire, Université de Leyde, grâce à l'amabilité
de M. M. Meijer Elte et à la coopération de la Bibliothèque
Universitaire.

LENDERS/PRÊTEURS

William J. Alford, Naples, Florida
Het Amsterdam Historisch Museum, Amsterdam, Nederland
Anonymous/Anonyme
The Baltimore Museum of Art, Baltimore, Maryland
The Trustees of the Bedford Settled Estates and His Grace the Duke of Bedford London, England
Bob Jones University Collection, Greenville, South Carolina
Kunsthandel P. de Boer, Amsterdam, Nederland
Museum of Fine Arts, Boston, Massachusetts
Museum Boymans-van Beuningen, Rotterdam, Nederland
Dr. Otto J. H. Campe, Hamburg, Bundesrepublik Deutschland
Daan Cevat, Worthing, Sussex, England
Cincinnati Art Museum, Cincinnati, Ohio
G. Cramer, Oude Kunst, Den Haag, Nederland
Cummer Gallery of Art, Jacksonville, Florida
Dallas Museum of Fine Arts, Dallas, Texas
Dell Publishing Co., Inc., George T. Delacorte, Chairman, New York, New York
The Detroit Institute of Arts, Detroit, Michigan
Gebr. Douwes, Amsterdam, Nederland
Paul Drey Gallery, New York, New York
F. H. Fentener van Vlissingen, Vught, Nederland
The Trustees of the Fuller Foundation, Boston, Massachusetts
Heim, Paris & London
The Art Association of Indianapolis/The Herron Museum of Art, Indianapolis, Indiana
Mr. & Mrs. Alan Kantrowitz, New York, New York
F. Kleinberger & Co., Inc., New York, New York
M. Knoedler & Company, Inc., New York, New York
Mrs. Otto Koerner, Vancouver, British-Columbia/Columbie-Britannique
David M. Koetser Gallery, Zürich, Switzerland/Suisse

Koninklijk Kabinet van Schilderijen, Mauritshuis, Den Haag, Nederland
Musée National du Louvre, Paris, France
Kurt Meissner, Zürich, Switzerland/Suisse
The Metropolitan Museum of Art, New York, New York
Milwaukee Art Center Collection, Milwaukee, Wisconsin
The Montreal Museum of Fine Arts/Le Musée des Beaux-Arts de Montréal,
Montréal, Québec
The National Gallery of Canada/La Galerie Nationale du Canada, Ottawa, Ontario
Nelson Gallery-Atkins Museum, Kansas City, Missouri
The North Carolina Museum of Art, Raleigh, North Carolina
S. Nystad oude kunst n.v., Den Haag, Nederland
Old Masters Galleries, London, England
Art Gallery of Ontario, Toronto, Ontario
The Art Museum, Princeton University, Princeton, New Jersey
Musée du Séminaire de Québec, Québec
Museum of Art, Rhode Island School of Design, Providence, Rhode Island
Rijksmuseum, Amsterdam, Nederland
The John and Mable Ringling Museum of Art, Sarasota, Florida
Robert Hull Fleming Museum, University of Vermont, Burlington, Vermont
Dr. Willem M. J. Russel, Amsterdam, Nederland
Galerie Sanct Lucas, Wien, Österreich
Schaeffer Galleries Inc., New York, New York
Dr. E. Shapiro, London, England
H. Shickman Gallery, New York, New York
Victor D. Spark, New York, New York
Marshall Spink Limited, London, England
Museum of Fine Arts, Springfield, Massachusetts
Ir. C. Th. F. Thurkow, Den Haag, Nederland
Musée des Beaux-Arts de Tours, Tours, France
Earl C. Townsend, Jr., Indianapolis, Indiana
Wadsworth Atheneum, Hartford, Connecticut
Walker Art Center, Minneapolis, Minnesota
Wildenstein & Co., Inc., New York, New York
Worcester Art Museum, Worcester, Massachusetts
E. W., New York, New York
M. H. de Young Memorial Museum, San Francisco, California

ACKNOWLEDGEMENT

Whatever the beginnings and whatever the final actions may be in connection with an exhibition such as this, it requires the co-ordination and effort of many people. We have been fortunate in having as our collaborator the Art Gallery of Ontario whose director, William J. Withrow and staff have given every co-operation and assistance. David S. Brooke, former general curator of the Art Gallery of Ontario and now director of the Currier Gallery, Manchester, N.H., was, until his recent appointment, chief liaison officer to Montreal.

For useful suggestions and advice from friends and colleagues, particular thanks are owed to Professor Joost Bruyn of the University of Amsterdam for his interpretive essay on Rembrandt. Dutch directors and curators Drs. A. van Schendel, director general, P. J. J. van Thiel and C. J. de Bruyn Kops of the Rijksmuseum, Drs. J. C. Ebbinge-Wubben and H. R. Hoetink of the Boymans-van Beuningen Museum, Dr. S. H. Levie of the Historical Museum, Amsterdam and Dr. A. B. de Vries, director of the Royal Picture Gallery in The Hague, have given valued counsel as well as supporting the loan of some of their finest paintings to the exhibition. Dr. H. Gerson of the University of Groningen was also most generous in his critical suggestions while the selection of works was still in a formative phase. For similar suggestions we wish to thank Dr. K. Martin and Dr. J. R. Judson.

We would like to thank the Rijksbureau voor Kunsthistorisches Documentatie, the archives of the Rijksmuseum, the Frick Art Reference Library and our own library for the privilege of using their resources. The responsibility for the character of the exhibition and the paintings selected for inclusion is that of the present writer as well as for the documentation supporting each catalogue entry. With the exception of one or two situations where lenders were consulted in advance, the attributions of the lenders have been maintained. In this endeavour Mrs. Virginia Jansen, formerly associate curator for research, assisted in research preliminary to the catalogue; Mr. Germain Lefebvre, assistant curator for research, has made contributions both of a documentary and an editorial nature. Mrs. Camille Létourneau and Mr. Leo Rosshandler, deputy director, have been responsible for editorial services and translation of the catalogue. Mrs. C. Schmid, secretary to the director of The Montreal Museum of Fine Arts, has shown great devotion in the attendant correspondence. Mr. D. P. Youngson has had the responsibility of organizing the logistics related to the assembly of the exhibition. It is also to be understood that museum departments of conservation, finance, public relations, registrar and others all play a part in an achievement of this kind.

The generosity of the owners in making available their works for the purpose of this exhibition is the fact that has made the exhibition possible. For this, we are most grateful. We are grateful too for the confidence of our respective boards of trustees and the support of the Canada Council which has provided the assurance to carry out this exhibition.

DAVID G. CARTER, *Director*
Montreal Museum of Fine Arts

REMERCIEMENTS

A partir de l'élaboration jusqu'au résultat final, une exposition comme celle-ci représente un effort considérable de la part d'un grand nombre de personnes. Nous avons été particulièrement heureux dans le choix de notre collaborateur, la Art Gallery of Ontario dont le directeur, William J. Withrow et le personnel nous ont prêté une aide efficace. M. David S. Brooke, autrefois conservateur général de la Art Gallery of Ontario, maintenant directeur de la Currier Gallery de Manchester (N.H.), a assumé, jusqu'à sa récente nomination, les fonctions de chef de liaison entre Toronto et Montréal.

De nombreux amis et collègues nous ont assisté de leurs suggestions et de leurs conseils. Parmi ceux-ci, le professeur Joost Bruyn de l'université d'Amsterdam, auteur d'un essai sur Rembrandt a particulièrement droit à nos remerciements. Notre gratitude s'adresse également aux directeurs et conservateurs de musées hollandais, MM. A. van Schendel, directeur général, P. J. J. van Thiel et C. J. de Bruyn Kops, du Rijkmuseum, MM. J. C. Ebbinge-Wubben, directeur et H. R. Hoetink, du musée Boymans-van Beuningen. M. S. H. Levie, du Musée Historique d'Amsterdam, M. A. B. de Vries, directeur de la Galerie Royale de Peinture à La Haye, qui, non seulement nous ont prodigué leurs avis éclairés, mais ont aussi consenti à nous prêter quelques-uns de leurs trésors les plus précieux. M. H. Gerson, de l'université de Groningen, avec beaucoup de générosité, nous a assisté de ses suggestions et de sa critique lors de la sélection des oeuvres. Nous remercions également MM. K. Martin et J. R. Judson pour leur précieux concours à ce moment.

Qu'il nous soit permis de souligner l'obligeance du Rijksbureau voor Kunsthistorisches Documentatie, des Archives du Rijkmuseum, de la bibliothèque de la Frick Gallery et de notre propre bibliothèque qui ont mis toutes leurs ressources à notre disposition. L'auteur de ces lignes a assumé la responsabilité du caractère de l'exposition, du choix des oeuvres ainsi que des entrées au catalogue. Sauf en quelques rares cas, où les prêteurs ont d'abord été consultés, nous avons maintenu les attributions de ces derniers. Mme Virginia Jansen, ancien conservateur adjoint à la recherche, s'est acquittée d'une partie du travail préliminaire à la rédaction du catalogue. M. Germain Lefebvre, actuellement conservateur adjoint à la recherche, a contribué au travail de documentation et de rédaction du catalogue. M. Léo Rosshandler, directeur-adjoint, qui a aussi aidé à la rédaction, a partagé avec Mme. Camille Létourneau la traduction des textes. Mme C. Schmid, secrétaire du directeur du Musée des Beaux-Arts de Montréal, s'est chargée avec soin et dévouement de toute la correspondance. Nous devons à M. Donald P. Youngson la coordination de tous les aspects administratifs de l'exposition. Et, bien entendu, tous les autres services du Musée, la conservation, la comptabilité, les relations extérieures, les archives et les autres ont joué un rôle dans l'organisation.

Cependant, il serait impossible sans la générosité des prêteurs de présenter une exposition de cette envergure. C'est pourquoi nous tenons à leur exprimer notre profonde gratitude. Nous sommes également reconnaissants envers nos conseils d'administration pour la confiance qu'il nous a manifesté et envers le Conseil des Arts du Canada dont l'appui nous a permis de réaliser ce projet.

DAVID G. CARTER, *directeur*
Le Musée des Beaux-Arts de Montréal

REMBRANDT AT 300 YEARS' DISTANCE

Granted that it is not easy to explain why we consider Rembrandt a great artist and the 300th anniversary of his death an occasion for memorial exhibitions and other festivities, we cannot avoid asking ourselves just that question. We should in fact at least try to make up our mind as to what his work means to us, what his intentions may have been and how we react to them.

It may be stated first of all that the picture of Rembrandt that generations of writers have given has been anything but consistent. Art criticism has always reflected the preferences and the beliefs as well as the prejudices of its own period. Thus, eighteenth century classicist authors tended to take exception to Rembrandt's deviations from their classical canon of beauty, based as it was on idealized, clearly drawn figures enacting lofty themes in appropriate noble scenery. They concluded that the artist must have been a wilful man, who, against reason, followed his misguided inspiration and deserved the contempt of his contemporaries. Anecdotes illustrating his vulgarity and in particular his stinginess entered his biography and the legendary rejection by the patrons of the *Company of Captain Frans Banning Cocq* (later called the 'Nightwatch') epitomized his social failure.

Many of these notions have been remarkably persistent and some of them have even left their traces in modern literature. In the meantime, however, the romantic conception of the artist as a solitary human being, misunderstood and neglected by his contemporaries, had reversed the scale of judgement. Rembrandt's individualism had become a recommendation and the supposed refusal of the '*Nightwatch*' the proof of his genius and of the stupidity of his detractors. Broadly speaking, this view still determines to a great extent current notions on Rembrandt and his work. How many legendary additions and anachronistic concepts had accumulated we have realized only recently, thanks to the investigations by Seymour Slive (1953), R. W. Scheller (1961) and J. A. Emmens (1964).

Whereas appreciation on the part of theoreticians and biographers varied a great deal, collectors and connoisseurs, less hampered by aesthetic prejudices, never ceased from admiring Rembrandt and paying considerable prices for his works. Imitating this style of painting and adding his name to unsigned paintings remained a rewarding business throughout the eighteenth century. This was symptomatic not only of a firm market, but also of a decline in critical knowledge.

The confusion between authentic paintings by Rembrandt, works of his pupils and vaguely Rembrandtesque pictures had become considerable by the middle of the last century. In the absence of a representative public collection where comparisons could be made and attributions could be verified, this was only natural. With regard to the etchings, of which representative collections did exist, the situation was clearer and scholarly catalogues of them were made already in the eighteenth century.

Given the romantic re-evaluation of North-European art in general (as opposed to classicizing Italian art) and of Rembrandt in particular, it is not surprising that Rembrandt became a national hero. Holland now "put his name with national pride next to that of Raphael and Rubens," as an official orator put it on the occasion of the unveiling of the Rembrandt monument in the centre of Amsterdam on May 26th, 1852. But the students of that new discipline that was art history could not fail to notice that knowledge of the artist and his work left much to be desired. They concentrated on two aspects: collecting documentary evidence on his life and sorting out his authentic oeuvre and grouping it according to a stylistic development. In doing so they naturally were biased by the conceptions of their own time; for even documents need interpretation and the criticism of art is inevitably bound up with contemporary taste and ideas. This may perhaps explain why, in spite of all the impressive achievements made during a century, that formidable task has not been brought to an end—and (as is in the nature of all historiography) never will be.

Of the art historians' accomplishments not much can be said here. Many names should be mentioned to whom all writers on Rembrandt, including the present author, are heavily indebted. As far as written and printed sources are concerned, Hofstede de Groot's collection of documents which appeared in 1906 (the three hundredth anniversary of Rembrandt's birth) still provides scholars with most of the raw material for Rembrandt's biography. But the main stream of literature has been concerned with studying, describing, analyzing, arranging and cataloguing the paintings, etchings and drawings and with evaluating their mutual relationships, their stylistic development and explaining their meaning in their cultural context as successive generations saw it. The cataloguing required an untiring effort to distinguish the authentic work from the school production and later imitations in order to eliminate numerous false attributions. With regard to the etchings, scholars found themselves on comparatively safe ground, although one needs only to glance at the publications in this field to realize that here too delicate problems exist. Problems were (and still are), however, infinitely more numerous in the case of the paintings and drawings. They are the kind of problems that may not always seem important, but they cannot be disregarded as long as one wants to get a clear idea of any great artist. In attempting their solution one has had and may still expect valuable help from modern scientific examination.

Rembrandt's biography also needed revision. There has been a growing tendency to "debunk" the overwrought glorification of the lonely genius, a growing hesitation to read into the works the manifestation of a harassed mind and to connect them with a tragic life. This may explain or, if necessary, excuse the sober account that follows.

The year of Rembrandt's birth—1606—nearly coincided with the end of the first phase of the Eighty Years' War that followed the Dutch rebellion against Spanish domination. The split between the Southern and the Northern Netherlands had become a fact. The Republic of the United Provinces under Calvinist leadership remained a federation rather than a state, based as it was on rather archaïc regional and even local particularism, very different from the political and cultural centralization in the Roman Catholic South. The economic and cultural uprise of the new Dutch nation was clearly reflected in the arts. The impact of Italian art, so strong in the sixteenth century and so essential to the dynamism of Flemish art under Rubens' leadership, lingered on in a few Dutch centres only, mostly in Roman Catholic circles. But the demand for large-scale compositions with monumental and aristocratic pretentions decreased. The need for altar-pieces and church decorations—of prime importance in many other countries—had virtually ceased to exist. The modest court of the Prince of Orange, although counteracting this development with some success, was not influential enough politically and culturally to set the tone. The taste in art was set by a vast middle-class which preferred the depiction of earthly realities to speculation on idealized beauty. And even when, as we are beginning to realize, the appreciation of reality was more often than not bound up with contemplation of its relative value or other pious connotations—in the tradition of late-medieval religious symbolism—there can be no doubt that artistic realism was winning the day in the Northern Netherlands. Portraits, landscapes, still-life, domestic or rustic scenes, however loaded with edifying or literary meaning, determined the iconography of the new national art production. With the exception of some minor masters working for the court or for Roman Catholic churches, there seemed to be a fair chance that Dutch artists would soon all be specialists in one (or at best two) of these kinds of subjects and that is what most of them came to be.

Rembrandt never was one of them. Right from his first known work of 1625 he appears to have chosen to be a painter of histories (meaning narrative subjects from the Bible, ancient mythology, etc.), just as his most important teacher, Pieter Lastman, was and, as his sixteenth century predecessors had been, and most of his fellow artists abroad never stopped being. How far this choice was due to the effect of the teaching of Lastman (who had himself been trained in the "grand style" and had stayed in Italy for several years) is difficult to determine. One may, however, safely assume that Rembrandt was aware of art theories of Italian origin, by then of common knowledge, according to which history paintings was the most eminent branch of the art of painting. In particular, he must have been familiar with the importance attached to the rendering of human emotions ("affetti"). The extreme intensity, the acute observation and the painterly subtlety with which he pursued his expressive aims, was actually to be a lasting feature of his work. Small studies of heads with different expressions and under different lighting conditions enabled him already in his first years to apply his experience in this field to the dramatic context of greater compositions. This capacity earned him exuberant praise from Constantijn Huygens, the diplomat, poet and connoisseur, who in an autobiographical manuscript written in 1629–30 devoted a long passage to the phenomenal gifts of Rembrandt and Jan Lievens, both working in Leyden at that time. "They owe nothing to their teachers", he wrote, "but everything to their talent" (". . . nihil praeceptoribus debent, ingenio omnia"). In particular, he was impressed by Rembrandt's vivid rendering of emotion ("affectuum vivacitate"), a merit which he could readily recognize and formulate on the basis of theories he must have been familiar with. Since he had been educated himself in the humanistic, classical tradition, he could not help deploring that the two young artists did not make a study trip to Italy—their excuse being that they could not spare the time and that Italian paintings could be seen anywhere. This reasoning may have sounded rather unconvincing to Huygens; it is not easy even for us to judge, what the two young artists really meant. But however we interpret Huygens' version of the story, we must assume that they felt perfectly capable to realize what they had in mind without studying Raphael and Michelangelo on the spot. What Huygens did not mention (were it only because the vocabulary of his time did not enable him to do so) is the subtlety with which the young Rembrandt handled his materials. If we limit ourselves just to the paintings, it may be said that, while translating his dramatic intentions into palpable forms observed in a strong light, he translated these forms into paint in such a way that it suggests the impact of light and shade on various surface textures. This fascination with light as a bearer of formal and dramatic tension may be due, in part at least, to Italian sources—especially Caravaggio. But generally speaking, the way Rembrandt enveloped his figures and scenes in light and shade was the exact opposite of the Italian ideals of classical beauty and clarity. Later generations of art critics and theoreticians were probably right in relating Rembrandt's *chiaroscuro* to his naturalism. They were wrong, however, in considering his naturalism as the cause of his supposed anti-classical attitude. If for Rembrandt, as for most of his Dutch contemporaries, visual experiences counted more than formal ideals, his style began where naturalism ended: in the suggestion of a visual and dramatic context for things seen and imagined. In creating this context the dramatic use of light and shade was of vital importance for him and by these means he enhanced the meaning of form and space without accurately describing their structure. This gave him a great freedom with regard to realistic observation; it enabled him to concentrate his compositions on one homogeneous dramatic intention and to stress emotionally meaningful passages and to subdue others of less importance.

It has become customary to divide Rembrandt's career into a number of periods in order to indicate the changes in his stylistic development. There is ample justification for such a division, but it is worthwhile observing that the stylistic principle described above remained essentially the same until the end of his life. Change there was, though gradual rather than sudden, and it concerned artistic intentions as well as the technique serving these intentions. During his Leyden years the artist preferred a relatively small format and figure scale. This is only logical, given his careful use of visible brush-strokes in opaque and transparent paints to model plastic bodies and to characterize the material condition of surfaces—a wrinkled skin, a roughcast wall, velvety textiles. Cool, greyish colours predominate; one has even, though not quite appropriately, referred to these years as Rembrandt's "green" period.

Immediately after his move to Amsterdam in 1631, he continued to work in this manner in his biblical scenes. The Ottawa *Esther* (or "Bathseba", as the picture was called until recently) of 1637 (no. 9) is a case in point and it also shows that warmer shades had become part of the artist's palette. But in the rapidly growing merchant town new tasks and new possibilities presented themselves. Jews and Orientals in their colourful dresses captured his fancy. A lively art trade of international importance caused a constant flow of works of art from different countries, and Rembrandt probably soon started collecting pictures and especially prints by or after Italian, Flemish and German masters. Furthermore, the wealth of a large bourgeoisie turned Rembrandt's attention to portrait painting. His first commissions date from 1631; his first group portrait, the *Anatomy Lesson of Dr. Tulp*, was finished in the next year. With amazing ease Rembrandt adapted himself to this new task. Without having been trained by a specialist in the field, he transformed the fixed types of straight-forward busts and half-length figures into more dramatic variations: by a slight turn of the head, by a telling gesture and, above all, by creating around his sitters an atmosphere filled with a light which models and animates their features. These fashionable portraits may not exhibit the tragic feeling so dear to the romantic era, but many of them are miracles of sensitive observation and concise, yet forceful brushwork (cf. no. 8). On the whole, Rembrandt shows an increasing predilection for greater dimensions in the 1630's: bigger figures, seen from short distance and, consequently, larger canvasses. Strong conflicting movements often dominate his biblical and mythological compositions. The brushstroke takes on a new boldness, describing and modelling forms in curling patterns of great energy. It seems probable that during these years Rembrandt consciously emulated the masters of the Italian and Flemish baroque, Rubens in particular. What clearly distinguishes him, nevertheless, from international baroque trends, is his love for naturalistic detail as well as his unheroic conception of human behaviour, which owes very little to classical gestures and poses.

Usually, the *Company of Captain Banning Cocq* (the "Nightwatch"), which was completed in 1642, is taken to be the synthesis of Rembrandt's dramatic style during the 1630's. In this picture he certainly applied all his dramatic power of light and colour to the traditional theme of a group portrait. The result was an extraordinary piece of work and our only seventeenth century commentator, Rembrandt's pupil Samuel van Hoogstraten, writing many years after the event, was well aware of its value. In fact, however, a turn towards a more intimate style, a less exuberant narrative, and a more even treatment of colour had already set in by 1640. A corresponding shift of interest from Caravaggio, Guido Reni and Rubens, to artists whose work typify the balance of the High Renaissance had become noticeable. Leonardo, Titian, and Raphael now appeared amongst his admired examples, whose compositions he copied in hurried scribbles and paraphrased in his paintings. On the whole, his interest in other styles, ranging from Quattrocento engravings to Moghul miniatures, was henceforth determined only by his striving for a new stability of form and for a new tectonic quality of composition. Apart from some works where the old exuberance still reigns supremely (notably the "Nightwatch"), the 1640's clearly show Rembrandt's search for a less extrovert style. Preoccupation with formal problems became less conspicuous and there was a more intimate feeling in most of his works, even in his commissioned portraits (cf. no. 11).

It is also symptomatic that, from just before 1640, Rembrandt started drawing, etching and painting landscape. His starting point apparently was the fantastic type of mountain landscape as it had been created in Flanders by 1600, and the new version of it which the barren visions of Hercules Seghers had achieved actually never quite left his mind. Besides this dramatizing conception, however, there was a new interest, inconceivable in an earlier phase, for the simple landscape motifs met with near Amsterdam, jotted down in apparently artless drawings and etchings, which only on close inspection betray their carefully calculated structure. Occasionally some of these subjects found their way into small paintings such as the Montreal picture of 1654 (no. 12) which is, in fact, a translation into paint of an etching of two years earlier and as such is a rare case.

It is characteristic of Rembrandt's re-orientation during the 1640's that his work shows more oscillation of style in these years than before or after. From the early '50's onwards, however, a stylistic unity emerges to such an extent that the old borderline between portraits and history, accurate rendering and imagination, tends to disappear. A powerful synthesis of form and concentration of emotional content are brought about by the vigorous brushstroke, reinforced by increasing use of the palette knife. Figures of almost sculptural solidity are modelled in sub-dued colours. It must be the utmost condensation of the artist's observation that makes them appear loaded with emotional energy. This human quality, which has been the fame of Rembrandt's late works during the last eighty years, is hard to analyze. Probably, their moving character is mainly due to the monumental simplification (and yet intensification) of compositional devices and individual poses and features, which suggest rather than describe human relations and states of mind and thus involve the onlooker in the problem of their significance and hold him in suspense. This kind of spectator-participation may determine the effect of every work of art, it certainly does so in the case of these pictures, whether they represent a biblical scene or a group-portrait, Homer dictating or the conspiracy of Claudius Civilis.

It is not quite clear how contemporaries reacted to this last phase of Rembrandt's art. His financial débâcle, which resulted in the public sale of his house and his art collection in 1657, may be ascribed to mismanagement on his part rather than to a lack of appreciation. Commissions did not fail him even in later years. The most intriguing *Portrait of a Young Man* of 1662 from St. Louis is by no means the latest dated example of commissioned portraits. The only indication for the existence of dissatisfaction may, possibly, be found in the fact that the huge canvas of 1662 representing the conspiracy of Claudius Civilis, one of a set of eight decorative paintings for Amsterdam's new town-hall, was returned to the artist. For no stated reasons it never came back to the place it was meant for; Rembrandt cut down his painting and the remaining fragment is now considered the most valuable treasure of the National Museum in Stockholm. Whether the painter was dismayed or the burgomasters dissatisfied, we shall never know, but it seems sure that some kind of disagreement existed. Usually this disagreement is defined as the conflict between the profundity of the great artist and the fashionable taste of his superficial patrons. This seems hardly fair. In fact, these patrons may be said to have followed the latest international artistic developments more closely than Rembrandt did, and there is little point in contrasting Rembrandt's style to the generally accepted "taste", even if for us the difference in quality between the great master and his younger competitors, some of them his former pupils, is obvious. In fact, it is easier to understand why Rembrandt's canvas was refused than to imagine what he was expected to contribute to what must have been conceived as a gay and colourful decoration in the Flemish style. Rembrandt's use of mysterious shades and subdued colours and his powerful brushwork—akin to Titian's late works rather than to the trends of the moment—must have marked him as an anachronism in the eyes of the city authorities whose town-hall should emulate the baroque splendour of princely palaces. The concept of Rembrandt as the first heretic in art, current in slightly later classicist criticism, may have originated or, at least, been prepared, during this period.

In fact, Constantijn Huygens' observation, written down more than thirty years earlier, amounted to very much the same. For him, however, the statement that Rembrandt owed everything to his natural gifts ("ingenium") and nothing to his teachers, was not incompatible with a positive evaluation of his art, but to an art critic at the time of Rembrandt's death it would have meant a deplorable lack of attention for the rules of the past. For Huygens Rembrandt's refusal to study Raphael and Michelangelo in Italy was only indicative of a kind of madness ("quaedam in tam magnis ingeniis mixtura dementiae"); for a critic of the younger generation it would have signified a fatal lack of respect for the discipline of classical art which was considered one of the preconditions for a true work of art.

What had changed during Rembrandt's lifetime was the verdict, not the evidence.

Since the romantic period, this evidence, as we have seen, justifies a favourable verdict. We have become familiar with the genius whose ideas run counter to those of his contemporaries and for us Rembrandt's art means a visual and a spiritual adventure as opposed to the predictable results of classicistic rules and preconceptions. It seems unmistakable, however, that the sympathies of our time are not as unambiguous as they were in the beginning of this century. Since the first World War, there has originated (amongst the many, often contradictory, tendencies in modern art) a new longing for clarity of forms and purity of colour. From this point of view it is significant that, while Rembrandt's primacy amongst Dutch seventeenth century painters had never been contested, Frans Hals, as second-best, now seems to have been superseded by Jan Vermeer. It also seems logical that there is a need for a critical re-examination of Rembrandt's tragedy and the incompetence of his detractors. But all this does not alter the fact that Rembrandt's work still fascinates and intrigues us today, because the significance which he lent to people and things, to their actions and their existence, is still relevant for us. Maybe it is this relevance that we usually call beauty.

J. BRUYN
UNIVERSITY OF AMSTERDAM

REMBRANDT APRÈS TROIS CENTS ANS

Rembrandt est de toute évidence un grand artiste, mais il convient de se demander pourquoi on lui accorde cette reconnaissance et s'il y a vraiment lieu de lui consacrer expositions et cérémonies à l'occasion du troisième centenaire de sa mort. Il n'est pas aussi facile qu'on le pense de trouver des réponses à ces questions, mais on peut tenter au moins d'établir ce que son oeuvre signifie pour nous, de découvrir quelles ont pu être ses intentions et d'expliquer nos réactions.

Depuis des générations, les écrivains nous ont présenté Rembrandt sous de multiples aspects, car la critique d'art a toujours reflété les goûts, les croyances et les préjugés de son temps. Ainsi, les fervents du classicisme, au dix-huitième siècle, portaient un jugement généralement fort sévère sur son mépris des canons de la beauté classique qui exigeaient des personnages idéalisés, bien dessinés en des attitudes sublimes et entourés d'imposants décors. Pendant longtemps, on crut que Rembrandt était un homme entêté qui, contre toute raison, suivait les dictées de son inspiration égarée, encourant ainsi l'opposition de ses contemporains. De la sorte, sa biographie contient mille anecdotes illustrant sa vulgarité son avarice et aussi la légende du refus de la "Compagnie du Capitaine Banning Cocq", plus tard intitulée "La Ronde de Nuit", qui finit par le mettre à l'écart de la bonne société.

Plusieurs de ces notions erronées subsistèrent pendant longtemps et ont même laissé des traces jusque dans la littérature moderne. Entre temps, cependant, une conception romantique de l'artiste, cet être profondément humain, solitaire, incompris et négligé de ses contemporains, s'est imposée. L'individualisme de Rembrandt est devenu sujet d'admiration et le prétendu refus de "La Ronde de Nuit", la preuve de son génie et de l'obscurantisme de ses détracteurs. Cette façon de penser influence encore, jusqu'à un certain point, les jugements que l'on porte sur Rembrandt. Ce n'est que récemment, grâce aux recherches de Seymour Slive (1953), de R. W. Scheller (1961) et de J. A. Emmens (1964), que se sont dissipées les légendes et les inventions anachroniques à son sujet.

Contrairement aux théoriciens et aux biographes dont les appréciations diffèrent à l'infini, les collectionneurs et les connaisseurs, moins imbus de préjugés d'ordre esthétique, ont toujours voué à Rembrandt une admiration constante et ont toujours consenti à payer ses oeuvres au prix fort. D'ailleurs, l'imitation de son style et l'apposition de sa signature à des tableaux non signés s'avérèrent très profitables tout au long du dix-huitième siècle qui se caractérise non seulement par l'excellence du marché, mais aussi par l'absence d'une critique artistique approfondie.

La difficulté de reconnaître les toiles authentiques de Rembrandt parmi les oeuvres de ses élèves ou les peintures d'un style vaguement rembranesque s'accrut jusqu'au milieu du siècle dernier. L'absence d'une collection publique qui eût permis d'établir des comparaisons ou de vérifier des attributions favorisait cet état de choses. Il n'en fut pas de même pour les gravures qui étaient déjà groupées en collections et scientifiquement cataloguées dès le dix-huitième siècle.

Après la revalorisation romantique de l'art de l'Europe septentrionale en général, (par opposition au classicisme de l'art italien) et de l'art de Rembrandt en particulier, il n'est pas étonnant que celui-ci soit devenu un héros national. La Hollande, avec orgueil, "place maintenant son nom à côté de ceux de Raphaël et de Rubens", proclamait un orateur officiel, lors de l'inauguration d'un monument à Rembrandt, au centre de la ville d'Amsterdam, le 26 mai 1852.

Mais les étudiants de cette nouvelle science, l'histoire de l'art, découvrirent bientôt les lacunes qui existaient dans la connaissance de l'artiste et de son oeuvre. Ils s'imposèrent donc une double tâche: la recherche des documents témoins de sa vie et la classification des oeuvres d'après l'évolution du style. Inévitablement, les idées qui avaient cours en leur temps faussèrent un peu leur jugement et gênèrent leur travail, car les documents ont besoin d'interprétation et la critique d'art subit toujours l'influence des goûts de l'époque. C'est pourquoi, malgré les réalisations d'un siècle de labeur, cette entreprise gigantesque n'est pas encore terminée et, comme il arrive toujours quand on écrit l'histoire, ne le sera jamais.

Il est impossible de dresser la liste de tous les historiens de l'art qui ont écrit sur Rembrandt. Il en est cependant envers qui tous les écrivains, y compris l'auteur de cet article, ont une dette considérable. Hofstede de Groot, par exemple, dont la collection de documents a été publiée en 1906, (l'année du troisième centenaire de la naissance de Rembrandt), fournit encore la matière première à toute biographie du maître. Mais, en général, les commentateurs se sont donné pour tâche d'étudier, d'analyser, de décrire, de classifier, de cataloguer les peintures, les gravures, les dessins, d'établir les relations entre les différents genres, de suivre l'évolution du style et de découvrir la signification que les générations successives ont attribuée à son oeuvre dans leur contexte culturel. Ce n'est qu'au prix d'efforts tenaces qu'on parvint à distinguer l'oeuvre authentique de l'oeuvre d'atelier et de l'imitation et à éliminer ainsi de nombreuses attributions erronées. Le cas des gravures sembla beaucoup plus simple aux chercheurs. Cependant, dans ce domaine également se posèrent des problèmes délicats, bien qu'infiniment moins nombreux que ceux qui existaient et existent encore au sujet des peintures et des dessins. Ils peuvent sembler de peu d'importance au profane mais ne sauraient être négligés quand il s'agit de créer l'image précise d'un grand artiste. Pour les résoudre, on a eu et l'on a encore recours aux procédés modernes de l'examen scientifique.

Il a fallu également reviser la biographie de Rembrandt. De plus en plus on tend à démythifier la notion du génie solitaire, de même que l'on hésite à lire dans ses oeuvres la manifestation d'un esprit tourmenté et la conséquence d'une vie tragique. Ceci expliquera ou, au besoin, excusera la sobriété de l'exposé qui suit.

L'année de la naissance de Rembrandt coïncide plus ou moins avec la fin de la guerre de quatre-vingts ans qui suivit la rébellion hollandaise contre la domination espagnole. La scission entre le nord et le sud des Pays-Bas est maintenant accomplie. La République des Provinces Unies, sous un gouvernement calviniste, demeure une fédération plutôt qu'un état et repose sur un particularisme archaïque et régional bien différent de la centralisation politique du sud catholique. L'essor économique et culturel de la nouvelle nation hollandaise se fait sentir dans les arts. L'influence de l'art italien, si puissante au seizième siècle et si essentielle au dynamisme de l'art flamand sous l'emprise de Rubens, persiste dans quelques centres hollandais seulement, surtout dans les cercles catholiques. Mais la demande de grandes compositions aux prétentions monumentales et aristocratiques diminue. On ne produit plus les retables d'autels et les décorations d'église si importants dans d'autres pays. La modeste cour du prince d'Orange qui s'oppose à ces tendances, avec quelque succès d'ailleurs, ne possède pas l'ascendant politique et intellectuel suffisant pour donner le ton. Le goût qui prévaut dans le domaine artistique est celui d'une bourgeoisie riche et nombreuse qui préfère l'illustration de réalités tangibles aux spéculations sur la beauté idéale. Et même si la peinture réaliste a encore des aspects religieux, continuation du symbolisme chrétien de la fin du Moyen-Age, il est indéniable qu'un réalisme plus prononcé commence à s'imposer dans la Hollande septentrionale. Portraits, natures mortes, scènes rustiques ou domestiques, bien que souvent chargés de signification édifiante ou littéraire, dominent en définitive l'iconographie du nouvel art national. A part quelques peintres mineurs qui travaillent pour la cour ou pour les églises catholiques, tous les artistes hollandais se spécialisent, tôt ou tard, dans l'un de ces genres.

Rembrandt ne sera jamais un "spécialiste". Dès 1625, date de sa première oeuvre connue, il se révèle un peintre narratif, c'est-à-dire qu'il choisit des sujets tirés de la Bible, de la mythologie et de l'histoire, tout comme son maître le plus important, Pieter Lastman et ses prédécesseurs du seizième siècle, de même que la plupart des peintres contemporains à l'étranger. Il est difficile de déterminer jusqu'à quelpoint ce choix est la conséquence des enseignements de Lastman qui lui-même avait été formé au "grand style" et avait fait un long séjour en Italie. On peut toutefois affirmer avec assez de certitude que Rembrandt est au courant des théories italiennes sur l'art, alors fort répandues, et selon lesquelles la peinture de sujets historiques représente la forme la plus élevée de l'art pictural, et qu'il connaît l'importance accordée à la peinture des émotions humaines, des "affetti". Son oeuvre portera toujours la marque de l'intensité vibrante, de l'observation aiguë et de la subtilité de touche qui distinguent son art pour rendre les sentiments intimes.

Les petites études de têtes aux expressions variées sous des éclairages différents lui permettent, dès ses débuts, de mettre en oeuvre sa technique magistrale pour créer par la suite d'importantes compositions dramatiques. Cette aptitude lui vaut les éloges enthousiastes de Constantijn Huygens, diplomate, poète et connaisseur. Celui-ci, dans une autobiographie manuscrite en 1629–30, consacre un long passage aux dons extraordinaires de Rembrandt et de Jan Lievens qui, tous deux, à cette époque, travaillent à Leyde. "Ils ne doivent rien à leurs maîtres, écrit-il, mais tout à leur talent" (". . . nihil praeceptoribus debent, ingénio omnia"). L'habileté de Rembrandt à rendre les émotions ("affectuum vivacitate") l'impressionne particulièrement. Huygens, qui a été formé selon la tradition humaniste classique, déplore que les deux jeunes artistes n'aillent pas étudier en Italie. Ceux-ci donnent pour raison qu'ils n'en ont pas le temps et que, en outre, on peut voir la peinture italienne partout. Ce raisonnement ne semble pas avoir convaincu Huygens. Encore aujourd'hui, il est difficile de savoir si les jeunes artistes exprimaient le fond de leur pensée et si, vraiment, ils se sentaient capables de produire des oeuvres valables sans avoir besoin d'aller étudier sur place Raphaël et Michel-Ange. Ce que Huygens ne mentionne pas, peut-être à cause de l'insuffisance du vocabulaire de ce temps, c'est l'utilisation subtile de la matière dont fait preuve Rembrandt. Si on ne considère que sa peinture, on peut dire que Rembrandt a conçu ses sujets dramatiques en leur donnant une forme expressive placée dans un faisceau de lumière intense qui, cependant, se reflète de façon magistrale sur les surfaces des textures représentées. Cette technique de l'emploi de la lumière comme élément dramatique lui était sans doute venue des maîtres italiens, surtout du Caravage. Cependant, Rembrandt enveloppe les scènes et les personnages d'une lumière et d'un jeu d'ombre différant considérablement de l'idéal italien de beauté et de clarté classiques. Les critiques d'art et les théoriciens des générations qui suivirent eurent probablement raison de rattacher le clair-obscur de Rembrandt à son naturalisme; ils eurent tort, cependant, de considérer son naturalisme comme la cause de son attitude anti-classique. Rembrandt et la plupart de ses contemporains attachent une importance beaucoup plus grande à la perception visuelle directe qu'à l'idéalisation des formes. Son style commence là où finit le naturalisme. Il repose sur une observation visuelle et dramatique projetée sur des scènes tantôt réelles, tantôt imaginées. La lumière et l'ombre, voilà les éléments essentiels pour créer l'ambiance, souligner les formes, suggérer l'espace sans en faire une description précise. Il y trouve une grande liberté qui lui permet de diriger l'intérêt vers l'instant dramatique, d'accentuer certains passages particulièrement chargés d'émotion et d'estomper les détails de moindre importance.

On a l'habitude de diviser la carrière de Rembrandt en un certain nombre de périodes selon l'évolution de son style. Pareille classification se justifie mais il faut reconnaître que, jusqu'à la fin de sa vie, Rembrandt resta fidèle au jeu de la lumière et de l'ombre. Certes, son style subit une évolution, mais cette évolution fut progressive plutôt que soudaine et marqua sa conception artistique tout autant que sa technique. Durant les années de Leyde, l'artiste peignait de préférence des tableaux de format relativement réduit, ce que justifie d'ailleurs la technique qui était alors la sienne, technique du coup de pinceau soigné et visible, de l'utilisation des pâtes opaques ou transparentes au moyen desquelles il modelait les figures et rendait l'apparence extérieure des surfaces: une peau ridée, un mur rugueux, des étoffes veloutées. On a même qualifié cette période, pas très justement d'ailleurs, de période verte.

Dès son installation à Amsterdam, en 1631, Rembrandt applique cette même méthode à l'exécution de scènes bibliques. ''L'Esther'' d'Ottawa (no 9), connue jusqu'à ces derniers temps sous le titre de Bethsabée, en est un exemple. Cette composition révèle pourtant les tons plus chauds dont s'est enrichie la palette du peintre. Mais, dans cette prospère ville marchande, d'autres tâches et de nouvelles possibilités s'offrent à lui. Les costumes exotiques et colorés des Juifs captivent son imagination. L'art international fait l'objet d'un commerce florissant et, très tôt, Rembrandt collectionne les oeuvres peintes et surtout gravées des maîtres italiens, flamands ou allemands. De plus, sur les instances de la bourgeoisie cossue, Rembrandt se tourne vers le portrait. Ses premières commandes datent de 1631 et son premier portrait de groupe, ''La Leçon d'Anatomie du Professeur Tulp'' est terminé l'année suivante. Rembrandt s'adapte avec une aisance remarquable à ce nouveau genre. Sans avoir pris de leçons d'aucun spécialiste dans ce domaine, il réussit des compositions vivantes avec les bustes raides et les demi-figures. Au moyen d'un léger mouvement de tête, par l'ébauche d'un geste et, par-dessus tout, par l'ambiance lumineuse qu'il crée autour de ses modèles, il donne relief et animation à leurs traits. Ces portraits à la mode n'expriment peut-être pas les sentiments tragiques si chers à l'époque romantique, mais plusieurs d'entre eux sont des merveilles d'observation pénétrante et révèlent une technique serrée et puissante (voir no 8). Au cours des années 1630, Rembrandt montre une prédilection croissante pour les grandes dimensions, les figures en gros plan et, naturellement, les grandes toiles. Des mouvements violents et souvent contrastants caractérisent les scènes bibliques et mythologiques. Son pinceau devient plus incisif, découpant et modelant les formes en des courbes énergiques. Il semble qu'au cours de ces années, Rembrandt rivalise avec les maîtres du Baroque italien et flamand, en particulier avec Rubens. Il se distingue cependant du Baroque international par son souci du détail naturiste, par la conception non héroïque de ses personnages, fort éloignée des gestes et des poses de l'art classique.

Il est d'usage de considérer ''La Compagnie du Capitaine Banning Cocq'' (La Ronde de Nuit) comme la synthèse du style rembranesque des années 1630. Dans ce tableau, il applique toute la puissance de suggestion de la lumière et de la couleur au traditionnel portrait de groupe. Il en résulte une extraordinaire composition dont le seul commentateur du dix-septième siècle, Samuel van

Hoogstraten, élève de Rembrandt, écrivant plusieurs années après l'événement, appréciait déjà la valeur. Cependant, dès 1640, l'art de Rembrandt évolue vers un style plus intime, une narration moins exubérante, un traitement plus uniforme de la couleur. A cette époque, son admiration pour le Caravage, Guido Reni et Rubens diminue. Son intérêt se porte maintenant vers les artistes de la haute Renaissance, Léonard de Vinci, le Titien et Raphaël. Il fait de leurs oeuvres de rapides esquisses qu'il transpose ensuite dans ses tableaux. Ce qu'il recherche, en somme, dans l'art de tous les temps, à partir des gravures du Quattrocento jusqu'aux miniatures mogoles, c'est un moyen d'acquérir une plus grande stabilité des formes et une solide structure architectonique dans la composition. Sauf dans quelques oeuvres, comme "La Ronde de Nuit", où l'ancienne exubérance demeure, le style des années 1640 fait preuve de plus de retenue. Il se préoccupe moins de la forme. La plupart de ses oeuvres, même les portraits commandés (voir no 11), présentent un caractère beaucoup plus intime.

Indice assez révélateur, peu avant 1640, Rembrandt commence à s'adonner au dessin, à l'eau-forte et au paysage. Au début, il s'inspire des paysages fantastiques et montagneux créés dans les Flandres vers 1600, puis des versions austères d'Hercules Seghers, qui avaient toujours hanté son esprit. Mais bientôt, les simples paysages aperçus au cours de ses promenades dans les environs d'Amsterdam l'attirent davantage. Il en fait des dessins et des eaux-fortes esquissés à grands traits, sans recherche artistique apparente mais qui, à l'examen, dévoilent une structure soigneusement conçue. Quelquefois, certains de ces sujets se retrouvent dans de petits tableaux à l'huile comme, par exemple, celui de Montréal daté de 1654 (no 12), qui est une transposition en peinture d'une eau-forte exécutée deux ans auparavant. Mais c'est là un cas d'exception.

La nouvelle direction que Rembrandt donne à son oeuvre se révèle, au cours des années 1640, par une diversité de styles, diversité peu usuelle dans les oeuvres précédentes et qui, d'ailleurs, disparaîtra bientôt. En effet, à partir de 1650, jusqu'à la fin de sa vie, ces variations n'existent plus. Il supprime les frontières entre le portrait et le tableau d'histoire, entre l'imagination et la réalité. Il peint à grands coups de brosse, souvent à l'aide du couteau de palette, des oeuvres aux formes puissantes, toute vibrantes d'émotion. Des couleurs fondues enveloppent ses figures d'une structure presque sculpturale qui en exprime toute le signification intérieure. Cette qualité profondément humaine qui fait la renommée des oeuvres de Rembrandt, surtout depuis quatre-vingts ans, est difficile à analyser. Leur caractère émouvant leur vient, sans doute, de cette simplification et aussi de cette intensification des moyens de composition, des poses et des gestes, qui suggèrent plutôt qu'elles ne décrivent les relations humaines et les états d'âme, et qui amènent le spectateur à participer à l'action, à chercher à comprendre sa signification. Cette sorte de participation de l'observateur est peut-être un élément déterminant de l'effet que produit une oeuvre d'art; c'est certainement le cas pour les tableaux de Rembrandt, peu importe qu'ils représentent une scène biblique, un portrait de groupe, Homère dictant ses vers ou la conjuration de Claudius Civilis.

On n'a pu établir clairement quelle fut la réaction des contemporains de Rembrandt devant les dernières manifestations de son art. La débâcle financière qui suivit la vente aux enchères de sa maison et de ses collections, en 1657, ne peut pas être attribuée à l'indifférence de ses concitoyens, mais plutôt à la mauvaise administration. Les commandes continuaient d'affluer et le mystérieux "Portrait d'un Jeune Homme" de 1662, qui appartient au musée de St. Louis, est loin d'être le dernier portrait commandé. Le seul exemple de mécontentement fut, peut-être, le rejet de l'immense toile de 1662 illustrant la conjuration de Claudius Civilis. Elle faisait partie d'une série de huit tableaux qui devaient orner le nouvel Hôtel de Ville d'Amsterdam. Elle ne retourna jamais à l'endroit où elle était destinée; Rembrandt la coupa et le fragment qui en reste est maintenant le trésor le plus précieux du Musée national de Stockholm. On ne saura jamais quelle fut la cause du refus. On peut supposer que le désaccord naquit de la divergence des vues de l'artiste et des goûts superficiels de ses commanditaires, esclaves de la mode. Ces derniers étaient peut-être plus au fait que lui des tendances récentes de l'art international, mais comment pouvaient-ils comparer le style de Rembrandt à ce qui était alors le goût de l'époque et la qualité de ses tableaux à celle des oeuvres de ses jeunes concurrents, dont plusieurs, d'ailleurs, étaient ses anciens élèves? En fait, il semble plus facile d'admettre le refus de la toile de Rembrandt que d'imaginer qu'il ait pu produire une oeuvre décorative, gaie et colorée, dans le goût flamand. Les teintes mystérieuses de Rembrandt, ses couleurs sourdes, ses coups de pinceau violents, apparentés plutôt au genre du Titien qu'aux tendances du moment, devaient faire figure d'anachronismes aux yeux des bourgmestres pour qui l'Hôtel de Ville devait rivaliser de splendeur baroque avec les palais des princes. C'est peut-être à cette occasion que fut décernée à Rembrandt l'appellation de "premier hérétique de l'art pictural".

L'observation de Constantijn Huygens formulée plus de trente ans auparavant contenait cette même affirmation. Cependant, l'opinion que Rembrandt devait tout à ses dons naturels ("ingenium") et rien à ses maîtres n'empêchait pas Huygens de juger favorablement le réalisme de son art. Un autre critique d'art, à l'époque de la mort du maître ne remarquait chez-lui qu'un déplorable mépris des traditions. De plus, Huygens considérait le refus de Rembrandt d'aller étudier Raphaël et Michel-Ange en Italie comme une espèce de folie ("quaedam in tam magnis ingeniis mixtura dementiae"). Pour un critique de la jeune génération, ce refus signifiait un manque de respect pour les disciplines de l'art classique sans lesquelles il ne pouvait exister de véritable oeuvre d'art. Ce qui a changé durant la vie de Rembrandt, c'est le jugement de la critique et non la conception artistique du maître.

Depuis le romantisme, ce jugement lui est devenu tout à fait favorable. Nous nous sentons à l'aise maintenant devant ce génie dont les idées s'opposaient à celles de ses contemporains et dont l'art représente à nos yeux une aventure visuelle et spirituelle qui contredit les règles et les doctrines immuables du classicisme. Il semble, cependant, que l'admiration de nos jours ne soit pas aussi unanime qu'elle l'était au début du siècle. Depuis la première Grande Guerre s'est dessiné, au milieu des tendances nombreuses et souvent contradictoires de l'art moderne, un nouveau besoin de précision des formes et de clarté des couleurs. Ceci explique que si la supériorité de Rembrandt sur les peintres hollandais du dix-septième siècle n'a jamais été contestée, la deuxième place que l'on accordait à Frans Hals soit maintenant occupée par Jan Vermeer. Il est également logique que l'on sente la nécessité de reprendre l'étude du drame de Rembrandt et de l'incompétence de ses détracteurs. Mais il n'en demeure pas moins que l'oeuvre de Rembrandt, encore aujourd'hui, nous enchante et nous fascine parce que la présence qu'il accorde aux gens et aux choses est toujours actuelle. C'est peut-être cette présence qui constitue l'essence même de la beauté.

J. BRUYN
UNIVERSITÉ D'AMSTERDAM

REMBRANDT AND HIS PUPILS

Such an exhibition as this is a critical way-station toward the evaluation of the achievements and the clarification of relationships among artists spanning the lifetime of Rembrandt.

We know, through the studies of S. Slive, J. A. Emmens and R. W. Scheller, the position which Rembrandt occupied throughout the seventeenth, eighteenth and nineteenth centuries. What of the assessment of our own time? Are the expressions of historians chained to an art-historical pendulum or have we the means of rendering more solid evidence? If so, it cannot be on the premise of greater connoisseurship alone but by the help of evidence revealed through laboratory examination and through material changes such as those resulting from the cleaning of a painting. We can also expect progress as the result of further studies of the men about Rembrandt which will then serve to clarify the problems pertaining to the Master. There are the straightforward results of interior evidence revealed as in the case of the signature in the fine Carel van der Pluym, *Parable of the Worker in the Vineyard*, (No. 99) formerly given to Rembrandt, the definite dating of Rembrandt's *Esther*, (No. 9) or of the date of Flinck's *Offering of Manoah* (No. 61) or through testing and stylistic conclusion of the previous discreditation of the 'Rembrandt' signatures on the *Esther's Feast* (No. 1) and the Barent Fabritius, *Hagar Leaving Abraham* (No. 53). Given our stylistic understanding of pictures some have wished to challenge the signature on Rembrandt's *Young Man with a Sword*, (No. 7) in favour of Bol, or the *Landscape*, (No. 12) in favour of Furnerius. Here we are depending on stylistic analysis. Decisions based on style are complicated by the lack of precise data pertaining to certain artists, including Rembrandt. Hence we see, for instance, authorities divided over the attribution of *Esther's Feast* (No. 1) between Rembrandt and Lievens. How has the definition, or even more strongly, the division of works been assessed between Rembrandt and his pupils and consequently his achievement and theirs?

One would like to think that there was always a meaningful gradation. If we love stories of works attributed to Rembrandt which upon cleaning reveal the signature of an underrated pupil, we must remember the sizeable body of listless productions accurate in illustration and presumably considered to have didactic value by those who commissioned them.

From the expansive assignment to Rembrandt of large numbers of works by W. von Bode, Bredius, C. Hofstede de Groot and W. R. Valentiner, we witnessed their counter assignment to his pupils by J. Van Dyke in the 1920's. Today, one feels once again the re-evaluation process has been set in motion by the revisions of K. Bauch, H. Gerson, J. Rosenberg, S. Slive and R. Haak. The Rembrandt Research Project sponsored by the Dutch government intends to collect technical data which will be of assistance to scholars in reaching their conclusions. The old premises play a part, but the appearance of little-known or unknown pictures combined with a willingness to re-examine our ideas of the development of an artist loom large upon the horizon. One form of this is the appearance of an unknown version of a subject such as the Rembrandt *St. Bartholomew* in Worcester and its more frequently published descendant in the Friedsam collection in the Metropolitan Museum of Art, New York. Less clear are the relationships among early variants and replicas—the Rembrandt *Self-Portrait* (No. 5) in the Cevat collection and that of the larger picture in Kassel and another variant belonging to Sir John Heathcoat Amory, Bart. One must also include in such judgments the little *Self-Portrait* now in the Alte Pinakothek in Munich. One must first see these pictures not merely for their descriptive veracity but as studies in scale and in the manipulation of light and shade. On the same score, we have the *Portrait of Rembrandt* (No. 18) from the National Gallery of Canada and the *Self-Portrait* (No. 10) from Woburn Abbey; are they by the same hand, or is the Ottawa canvas by a gifted pupil, perhaps Govaert Flinck? How should one examine the Rembrandt-pupil relationship? One way would be to ascertain the importance of the pupils as artists in their own right. A beginning exists in the number of scholarly monographs with which art historians have favoured us. These would include books on Jacob A. Backer, Gerrit Dou, Barent Fabritius, Govaert Flinck, Aert de Gelder, and Nicolaes Maes. Of those contemporaries included in Rembrandt's world, we have books on Philips Koninck, Leonard Bramer and on Rembrandt's teacher Pieter Lastman. Certain Amsterdam contemporaries not included in the exhibition have also been the beneficiaries of monographs. However, when we survey this body of information to which we must add a sizeable number of articles, we realize that our knowledge is far from complete. What is indicated despite omissions, is that a number of Rembrandt's pupils and close colleagues have been held and are held in considerable esteem.

In viewing the Rembrandt-pupils relationship, one should bear in mind that both in terms of images and style the master may learn from a pupil and a pupil may also learn from artists or works other than those by his master. Rembrandt himself, while a pupil to Swanenburg, sought inspiration elsewhere and while associated with Lievens succeeded in assimilating other influences. It is difficult to imagine Rembrandt's creation of a series of the five senses (No. 2, No. 3) without specific acquaintance of the works of Adrian Brouwer. A pupil such as Barent Fabritius will occasionally depend for inspiration on Jan Pynas, panel of 1615 in Aachen for his *Hagar Leaving Abraham* (No. 53) of about 1650. While pupil to Lastman, Rembrandt took full cognizance of the brothers Pynas, the developments in neighbouring Utrecht and Flanders and of the artistic achievements of Italy. One further fact that exists with any atelier is the nourishment which pupils receive from each other; these relationships such as that between Flinck and Eeckhout are hard to pinpoint as they may be stylistic and not necessarily concerned with subject matter.

It is more fascinating to note the transmission of visual vocabulary from the precursors to Rembrandt and his pupils in turn. The *Stoning of St. Stephen* (No. 103) by Jacob Pynas is a case in point. If Rembrandt was not the pupil of Jacob Pynas he was clearly familiar with his work. The *Martyrdom of St. Stephen*, 1625, by Rembrandt in Lyons re-employs specific figures in the manner of quotations, so-to-speak, from the Pynas work of 1617. The next step in the process of assimilation and restatement was made by Rembrandt in his small etching of 1635 (Boon 112) in which several of the most important images are retained to be once more utilized in the fine drawing of this subject by Samuel van Hoogstraten in the collection of the Minneapolis Institute of Art. A similar chain of images lies behind Bol's *Self-Portrait* (No. 24), which may be traced to like portraits in the museums in Springfield and Los Angeles and that of Rembrandt of 1640 in the National Gallery, London and Rembrandt's etching of 1639 (Boon 149) to Titian's *Ariosto* and Raphael's *Baldassare Castiglione*. In these circumstances one is puzzled to know whether the *Rembrandt* by Flinck today in the Girardet collection in Kettwig was the result of hommage to Rembrandt or a desire to show former fellow pupil, Bol, how such a picture should be painted.

While Rembrandt stands as one of the giants of all times, his students and associates had to consider in their association with him, not only their esteem for his merits, but the possibilities of learning or training, and as professionals whether their professional association would be economically satisfactory or whether at least the time spent would equip a young artist to meet the demands of current patronage. In the instance of Aert de Gelder, the experience and its effect upon the artist were overwhelming, but de Gelder elected to make his way against the prevailing mode and after his death, suffered temporary oblivion. His *Abraham and the Angels* (No. 69) looks back not only to Rembrandt's composition of the same subject in Rotterdam but in many respects is an aesthetic *hommage* to Rembrandt's returned *Claudius Civilis*, 1661, painted for the Amsterdam town hall. Others, such as Samuel van Hoogstraten, studied seriously but later found interests which produced changes of outlook and style. This change is apparent in a comparison of his early *Young Woman Sleeping* (No. 75) and his *Perspective Box* (No. 74) of 1663, which reveals his preoccupation with the science of optics.

One must also ask if those who worked under Rembrandt were the superior talents of their day, were they so regarded by their contemporaries? It is amazing how many might be so regarded, yet one is also aware of the pedantic or even prosaic follower. Is the charm of a Marienhoff accidental? Does Lundens fame rest only on his variant of Rembrandt's *Captain Banning Cocq and Company?* Was Michael Willmann a serious painter or just another young man seeking a means to pass the time in the big city atmosphere of Amsterdam? What of Bernhard Keil whose southward trek included a two year halt in Rembrandt's studio and whose mature style as exemplified in the *Parable of the Labourers in a Vineyard* (No. 77), seemed to disregard his early experience in favour of a north Italian mode? It has often been observed that the development of a student is frequently limited by the level of his teacher; this may account for the rather stiff postured poses of the figure compositions of Jacob van Spreeuwen and some instances of works by Willem de Poorter reflecting as they do the still maturing Rembrandt of Leiden, and early Amsterdam years. There are, for instance, certain unresolved awkwardnesses in the exotic blend of studio armor and wifely countenance of Rembrandt's *Bellona* (No. 6) of 1633, which by example could not fail to affect a Willem de Poorter. The *Esther* (No. 9) is successful, and it was perhaps with these pictures in mind that de Poorter produced his *Sophonisba Taking the Poisoned Cup* (?) (No. 100).

The problem for Rembrandt as educator and businessman and the problem for all connoisseurs of Dutch painting lies in the distinction and development of talent. Rembrandt operated according to the usage of his time. While academies were founded in Italy and France during his lifetime, the guild system prevailed in most Dutch cities and even in such cities where it was giving way it was still the practice for a young man aspiring to become an artist to seek acceptance in the studio of a master. We are told that Rembrandt had a definite financial schedule which was applied to such students. The documentation for this exists in the record of six payments totalling 100 guilders per annum made by Isaac de Jouderville for his tuition. His painting *Kitchen Interior* (No. 76) is a modest result of the experience gained during Rembrandt's Leiden years.

What was the nature of an atelier in Rembrandt's case? Was it based on traditional guild practices or was it based on the improved model conducted by his senior, the great Flemish contemporary Peter Paul Rubens in Antwerp? How did it compare with that of the academically inclined Abraham Bloemaert in Utrecht? These comparisons are obvious not because of the fame of the masters but because of the numbers of pupils involved. Rembrandt never shone as a leader in business practices and if he was successful in the assembly and maintenance of an atelier, it was in the mode of the time. Our clues as to the probable conduct of his affairs are pieced together from scraps of direct archival evidence but also from the more than apparent correspondence to one of the most successful practioners of the age, Peter Paul Rubens. In Rembrandt there were no violations of then current labour practises; nor were guild regulations circumvented. Of Rembrandt's many pupils it was natural that most stayed with him a few years and then assumed independent careers. It is, despite any other argument to the contrary, eloquent testimony of the esteem in which Rembrandt was held by would-be artists of his own time that evidence attests to more than fifty pupils during his lifetime. In theory, only Lastman could claim greater success for he numbered both Lievens and Rembrandt among his pupils and therefore could claim the prize for the greatest artist of Holland.

Were the studio methods of the seventeenth century, and of Rembrandt's atelier specifically, similar to those with which we are familiar today? What was the rôle of drawing and of engraving? From Rembrandt's hand we have self-portraits in pencil, etching and oil; the same may be said of landscape as in the Montreal Museum's *Landscape* (No. 12) of which we have a drawing in Berlin and a drypoint (No. 12a) in Boston. The extension of this particular sequence to another personality exists in the sketch of the same composition by Philips Koninck, today in the collection of Dr. Frits Lugt in Paris. In other words the use of preparatory studies was common. But what of engravings? Joris van Vliet and Wenceslas Hollar were concerned essentially with engraving, and it may have been that Rembrandt intended to train van Vliet to keep records by engravings of his pictures. Rubens had already taken the lead in this field. Certainly both Rembrandt and Rubens were beneficiaries of the vast volume of Italian engravings. However, Rembrandt, to an extent never contemplated by Rubens became an engraver whose protean production has never been matched. From the pattern books of the Middle Ages artists had shifted to the utilization of books by academically directed minds such as those of the Utrecht artist Abraham Blomaert. These printed books were also susceptible to wider dissemination. Speciality albums of the sort created by Jacob Marellus dealing with tulips also existed but their purposes were not intended to be artistic use alone. Throughout Europe, the utilization of engravings by artists for the purpose of "borrowing" figures or whole groupings of figures to incorporate in their own works was a familiar practise. Thus Rembrandt's pupils were conditioned to look for ideas in any product of their master and the hands of others whether drawing, engraving or painting. It should be mentioned in passing that in addition, of Rembrandt's pupils, Abraham Furnerius, Lambert Doomer, and Constantijn van Renesse are best known to posterity as graphic artists.

As contemporary artists have become preoccupied with what they refer to as images so artists of the Baroque period favoured certain themes. Individual figures or combinations of figures were treated as elements of vocabulary. The results in interpretation, variation, etc., depended upon the individual artists own power of expression.

An almost classical demonstration of the transmission of a motif, in this instance an angel, is offered by two pictures *The Sacrifice of Manoah* (No. 61) by Flinck of 1640 and *The Angel Taking Leave of Tobit and His Family* (No. 113) by Victors. In this particular flying lesson the angel is seen ascendant from the rear; it is clear that both artists borrowed the angel from a painting by Rembrandt of 1637 in the Louvre. Rembrandt also knew an effective motif when he saw it, for he had borrowed the angel in turn from a woodcut of about 1563, again of the same subject, by Martin van Heemskerck.

Among Rembrandt's pupils and the master himself there may be said to have existed an incidental cult to give visual expression to angels. The appearance of angels is usually associated with some event related to a decision or a choice; such highly personal expressions of biblical events were in accord with the Mennonite and Jansenist ideas to which Rembrandt was partial. The artistic tradition upon which Rembrandt drew included Elsheimer and Lastman, one of whose angels modelled upon an Italo-Flemish ideal is found in *The Sacrifice of Manoah* (No. 85) of 1627. In fact the influence of this work is apparent in a related drawing by Lastman reworked by Rembrandt (published by O. Benesch, No. 474, in his catalogue raisonné of Rembrandt's drawings). From the year 1642 comes the beautiful *Gideon and the Angel* (No. 44) by Eeckhout for which there is a finished pen and wash drawing in the Herzog-Anton-Ulrich Museum in Braunschweig. Once again, there is a debt to Rembrandt although Eeckhout often looked back to Lastman for ideas; a pen drawing, No. 56 in M. D. Henkel's catalogue of drawings of the Rijksmuseum seems to be the source. In a picture attributed to Barent Fabritius (No. 52), the angel and his relation to the altar were retained but Gideon emerges as an orant figure piously lowering his eyes and bowing his head. The problems confronting the seventeenth century Dutch painter were those presented by the demands of a figurative tradition and a society whose patronage arising from its mercantile success placed a higher value on certain subject categories and favoured certain styles that flattered its aspirations.

The choice of becoming a still-life or a landscape painter or both was an individual matter. The path to professional competence was not. Once apprenticeship had begun, the system of formulating ideas through drawings, of making studies in oil and working up modellos of larger projects, and of collaborating in projects assigned by the master were the norm. We know of actual studio practise from drawings of classes employing live models by Rembrandt, Constantijn van Renesse, Sweerts and others. This is further substantiated by any number of figure studies by Rembrandt, Eeckhout, Flinck, Backer and others. Casts also appear in various compositions as studio accessories. That Rembrandt and his pupils drew and painted without idealizing what nature placed before them is born out by Andries Pels in a poem written in 1681, in which he complains of the lack of principles guiding his activities. Neither Rembrandt nor his pupils had desire or need to create with the use of a shaped canvas as certain contemporary artists have undertaken to do; however, this did not imply an unawareness of the technical limitations of their medium and materials. The artist of the seventeenth century could not buy ready-made paints. The materials were ground in the studio by apprentices. When Dou, Eeckhout and others entered Rembrandt's studio at 10 or 14, they began with these fundamental tasks of manufacture. Varnishes were also of far less certain quality. It then occasions no surprise to encounter technical experimentation. A few years ago, the National Laboratory in Brussels undertook in collaboration with the Bundesrepublik Deutschland, a technical examination of twenty paintings by Rembrandt and his pupils. Of these, nine were shown to have been painted on an unusual ground (the preparatory coating applied to panel or canvas); this ground included kaolin, essentially a clay used in ceramics. It was noted by the late Dr. Paul Coremans, then director of the Laboratoire Central des Musées de Belgique, that the pictures wherein kaolin had been applied as ground coincided in their dating with the renaissance of the porcelain industry (Delftware). Contact among artistic disciplines was frequent and that a willingness to try an improved if untried product was part of Rembrandt's mentality. The detection of lead stannate (lead tin yellow) by Dr. Hofstete of Stuttgart in eight of the twenty paintings mentioned above, and the recent discovery of the same substance in Rembrandt's *Esther* (No. 9) in Ottawa by Dr. M. Ruggles shows Rembrandt content with a colour not used in the eighteenth century. He tended to use panel up to 1634 and thereafter to employ canvas as the material of support for his pictures. This usage was echoed in Flanders. However, most of Rembrandt's pupils at one time or another painted on panel and some such as Dou, de Poorter, and Doomer seem to have preferred wood.

As art-historians, we live at a time when we think less of the achievement of an artist as a self-generated phenomenon but see him surrounded by influences behind and beside him in time. Through the recent studies of Jan Veth, Fritz Saxl and Sir Kenneth Clark the strong shadow of classical Italy projects from the hand of Rembrandt. As Vitale Bloch cautions many of these ideas in similar form were closer at hand through Netherlandish sources such as Lucas van Leyden. There is too Rembrandt's experience of working under Lastman whose idols numbered Michelangelo, Raphael, Veronese and Domenichino; this is apparent in the *St. Matthew* (No. 84) of 1613. Some clues as to the view of a master-pupil relationships emerge in the relationship, deduced by Bloch, of Rembrandt with Lastman. He demonstrated that Rembrandt's own style and outlook was already formed at the time he sought Lastman's studio. However, it has often been noted that the styles of his pupils followed that of Rembrandt while under his direction. While proper training and high performance would be expected, Rembrandt was not developing stars for their own sake but conducting a business. In a similar vein, if former pupils discovered that a shift towards a different style or specialization in a particular category—such as portraiture, satisfied both their aesthetic life and their need for bread and butter—they changed.

The source of Rembrandt's pupils is interesting. Leiden was a matter of catch-as-catch-can, including the son of a neighbour, Gerrit Dou. But once in Amsterdam, with several big commissions confirming his reputation, all Amsterdam sought his door. After Amsterdam itself, Dordrecht provided the most significant number of pupils and this may also explain the adherence to the Rembrandt manner of lighting and composition by B. G. Cuyp; these were Lesire, Bol, Drost, van Hoogstraten, de Gelder. Maes, of course, finished his career in Dordrecht.

There were, of course, a sprinkling of foreign students. Keil, we have already mentioned. Govaert Flinck came from Cleve and earned the epithet the "Kleefsche Apelles" from Joost van den Vondel, the great Dutch poet of the time. Von Paudiss, Marienhoff, Wulfhagen, Wilmann and Mayr also came from the East to study under Rembrandt.

In his appraisal of particular pupils there must have come a moment when Rembrandt decided to sever the relationship or to continue to employ the artist in grander enterprises. Such a decision was probably not made solely on the basis of technical ability but on his pupil's capacity to express what he termed in a letter to Contantijn Huygens, secretary to Prince Federick Henry, on January 12, 1639, "the greatest amount of inward emotion" (" die meeste ende die naetuereelste beweechgelickheyt"). A vocabulary of images or a repertoire of gestures would never be enough; the artist must succeed in expressing the inner feelings and thoughts of those he described. In that sense he would have approved the violent expressions of Cuyp (Nos. 34, 35) in depicting the *Annunciation to the Shepherds*; he was undoubtedly equally proud of Flinck's accomplishment in *Isaac Blessing Jacob* (No. 59) of 1638, and of de Gelder's in his *Abraham and the Angels* (No. 69) of the 1660's. This suggests indeed that "history painting", that is to say the depiction of themes of a religious, mythological and historical nature, took intellectual precedence over portraiture or landscape, but what of the actuality? It was an age which saw artistic needs in terms of categories—portraiture, landscape, still-life, and history painting—indeed developed specialists who, if need be, could undertake a work together—a fact surmised of Rembrandt and Lievens and known in specific reference to Rubens and Breughel or van Dyck and Snyders.

It is curious to note that Amsterdam, while possessing numerous still-life artists, found few in Rembrandt's studio. Lievens, his Leiden associate, Flinck, Philips Koninck, von Paudiss and Dullaert on rare occasion were producers (No. 42). Dou, working in the Leiden tradition as established by artists such as de Heem (No. 73), has left us a number of examples including one designed for a crate cover. Bramer and de Poorter enjoyed the inclusion of still-life groupings within their figure composition, such as *Man in Armour with Still Life* (No. 101) by de Poorter.

Given Rembrandt's own proclivity to landscape which is particularly evident in his etched work, it is a surprise to discover such a small number of painted works. This fact corresponds to the pattern of activity of his pupils. Koninck and Roghman, who have left us some splendid landscape unmatched for breadth of treatment, are colleagues rather than pupils. The former is represented in the exhibition by the last dated landscape (1676) from his hand depicting a vista across an enormous cultivated plain (No. 80). Roghman is represented by a splendid mountain landscape (No. 107) displaying an impressionistic technique that anticipates Constable and even Turner but turned in his later Italianized period to colourful somewhat romantic mountain scenery (No. 108) for inspiration.

Portraiture in the mercantile society of Amsterdam was always in demand. True it was not as highly regarded as history painting, but that did not affect the outlook of an artistic world that recognized it must earn a living. In this domain, Rembrandt established two kinds of portraits, those intended as studies or personal souvenirs and those designed to meet the demands of a client. In this practise his pupils followed him.

Lievens, associate of Rembrandt's youth, produced studies of a personal nature in his character piece of *Portrait of a Man in Profile* (No. 91) and the *Young Bacchus* (No. 90); in his *Portrait of a Woman* (No. 88) of 1650, he shows that a Van Dyck formula apparently was more rewarding than that of Rembrandt. When Rembrandt started to produce his forceful portraits in the 1630's such as *The Syndic of Amsterdam* (No. 8), Flinck could come close to emulating him in his *Portrait of a Man* (No. 62) of 1641; however, he clearly found it more profitable by 1648 to adopt some of the elegance of Bartolomeus van der Helst in his *Portraits of a Lady and a Gentleman* (Nos. 63, 64). Backer and Bol both followed the trend towards elegance as is apparent in Backer's, *Portrait of a Lady* (No. 19) 1641, and to an even greater degree in Bol's austere magisterial figure (No. 21) and in the *Portrait of a Nobleman* (No. 22), both of the year 1659.

The Portrayal of children and young people has always been something of a speciality. Backer, Flinck and Drost showed themselves to be among the more adept of practitioners in the *Grey Boy* of Backer in the Mauritshuis, and in Flinck's charming *Girl beside a Baby Chair* (No. 60) of 1640, also from the Mauritshuis, while Drost's *Portrait of a Seated Girl and Boy* (No. 41) is a most sympathetic rendition. Less successful is Doomer's rare portrait, *Young Couple standing beside a Globe* (No. 36) which is flawed by the introduction of the figure of the young man. One cannot survey this subject without mention of one of Rembrandt's own masterpieces, the brilliant *Portrait of Titus* of about 1660 (No. 15). From the evidence of a change of composition evident in the position of the hand on the jaw it would seem that Rembrandt painted this work without a preliminary blocking out on the canvas. There is a pen drawing by Rembrandt showing a young man in a similar position in the museum in Rotterdam.

The range of expression from the restrained statement of Drost in his *Portrait of a Man* (No. 39) to the romantic and dramatic *Portrait of an Actor* (No. 68) by de Gelder, makes its own point as to the diversity of talent which Rembrandt attracted to him. A similar distance separates Lesire's *Portrait of a Gentleman* (No. 86), in a style close to Benjamin Gerritsz. Cuyp and Rembrandt in his Leiden years from Nicolaes Maes late *Portrait of a Scholar* (No. 95) dated 1666, monumental in its reduction of forms to their essentials and still reliant on a mode of lighting stemming from Rembrandt. This portrait may represent Spinoza. In the last three decades of his life Maes was one of the most successful recorders of urbane society, witness the *Mother and Children* (No. 97). In contrast to the courtly, decorative yet lively portrait group by Maes, consider for a moment Rembrandt's study of a *Young Woman* (No. 17). Painted towards the end of the artist's life, she seems to be the same person as the mother in the *Family Group* of 1668 in the Herzog-Anton-Ulrich Museum in Braunschweig. There would appear to be no reason to associate either the Montreal or the Braunschweig pictures with the *Man with a Magnifying Glass* and *A Woman with a Carnation* in the Metropolitan Museum of Art, New York, and for similar reasons neither the identification with Hendricjke Stoffels or with Magdalena van Loo seems to be tenable. Rembrandt's rendering of a family group anticipates the chromatic colour harmonies of his pupil de Gelder and centuries later of Monticelli. The husband, we have probably seen previously, standing behind the officers of the cloth guild in Rembrandt's *De Staalmeesters* of 1662, in the Rijksmuseum. It further conveys the affection and warmth of a complete family relationship emulated but not surpassed by Aert de Gelder, pupil to Rembrandt in his last years, in the *Herman Boergave Family* c. 1722 in the Louvre, Paris.

Amsterdam society wanted portraiture, still-life and landscape; it was a poor patron for religious, mythological or history painting to which the critics and savants of the day gave first place. In the Remonstratian-Mennonite religious milieu there were few religious commissions except for private clients; however, in 1659 the burgomasters of the city decided to commission Govaert Flinck to decorate the city hall, completed in 1655 by Jacob van Campen. Flinck lived only long enough to paint a series of water colour studies, some of which were followed by Juriaen Ovens and are still *in situ*. In this project, neither Flinck nor Ovens adhered to a Rembrandtesque style. Lievens and the great Flemish painter Jacob Jordaens also participated in this decoration.

The theme of these murals is concerned with the rebellion of the Batavians against Rome in 69 A.D. under the leadership of Gaius Julius Civilis. That the voice of diplomacy chose this earlier effort over the depiction of the recent struggles against Spain and the Spanish Netherlands is understandable. After Flinck's death in 1660, Rembrandt had been asked to paint one of these subjects, *The Oath of the Batavians to Gaius Civilis* popularly known as *Claudius Civilis* today in Stockholm. We have a preliminary oil bozzetto of about 1658 representing *The Negotiations between Gaius Julius Civilis and Caesius Rufus Quintus Petillius Cerealis on the Demolished Bridge* (No. 28) near Trier in 70 A.D.; Bol, confronted with a compositional problem involving numerous figures, permitted himself, as the *pentimenti* reveal, a good many changes of composition. The harsh flickering *chiaroscuro* may have been derived from Tempesta; the pictorial elements are organized close to the picture plane. This picture was never carried out in a large scale. A similar oil sketch for the city hall by Bol *The Intrepidity of Gaius Fabricius in the Army Camp of Pyrrhus* (No. 25) depicts another tale of Roman virtue, B.C. 280. A second version is in a German private collection, and an impressive, over life size, study for the figure of Pyrrhus (No. 26) offers some conception of the path taken to achieve a large mural. Bol showed again a tardy interest in classical themes in *Alexander before Diogenes* (No. 29) in which his manipulation of light and dark have a sun-bathed quality that recalls Rembrandt of the 1640's. The Peace Palace at the Hague boasts a Bol for which the Worcester Art Museum owns the oil sketch. It is *The Magnanimity of Scipio* (No. 27), Rembrandtesque in style and theatrical in setting and reminiscent of a number of biblical scenes by Rembrandt of the late 1630s and early 1640s. Eeckhout thrice treated this theme in the 1650s and Flinck carried out a similar scheme in his *Marcus Curius Dentatus Prefers Turnips to the Presents of the Samnites*, 1656, Rijksmuseum.

If space and scale, form and light, and colour constitute posed artistic challenges for the artist, his resultant styles pose enigmas for the connoisseur and the historian. This exhibition includes a number of such problems some of which we have touched upon. These puzzles interest us only as they represent in themselves great achievements or help us to unlock the doors to larger questions.

If one has any doubts that new ways of seeing and expression had touched the core of Dutch art, compare *The Entombment* (No. 104) of 1607 by Jan Pynas with *The Lamentation* (No. 14) of around 1660, given to Rembrandt. Pynas looked to Venetian painting around 1600 and particularly to Domenico Feti, the Mantuan residing in Venice. Each is a landmark in the story of some seven generations of artistic expression. The characterization of the holy woman at the left (No. 14) recalls the *Nun* in Epinal and of the weeping St. John recalls the angel in the *St. Matthew* in the Louvre, both painted by Rembrandt in 1661. The characterization of the young boy leaning on the cross recalls the slightly younger *Titus at his Desk* of 1655 in The Boymans-van Beuningen Museum, and the Christ figure finds a parallel in *The Risen Christ of* 1661 in Munich. This painting has stylistic qualities that recall the unfinished *St. Peter's Flight from Prison* (No. 58), given to Carel Fabritius, an artist killed in 1654. The parallels lie in the way the figures are manipulated, especially in their activation by an unseen presence outside of the composition, and in the employment of light and shade. These are monumental themes treated in a revolutionary fashion.

One of the problems that confronts todays scholar is the notion of joint authorship whether among equals, e.g., Rembrandt and Lievens, or among master and assistant, e.g., Rembrandt and Bol. Under what circumstances was the work then marketed as the work of the superior artist, the work of the lesser hand or simply as an atelier production? Collaboration of specialists in landscape, still-life, and figure staffage was a commonplace in the seventeenth century. More difficult to discern and to describe is collaboration in a figure composition. The large *Lamentation* (No. 14) attributed to Rembrandt is a case in point; casting aside certain later retouching there is the growing conviction that we see there the work of two hands. If a date around 1660 is acceptable, virtually every well-known pupil can be eliminated on various grounds and the mystery persists. The painting stands at this point as a monument to Rembrandt and his unknown pupil.

The fate of Rembrandt's pupils is one of the great sagas of European painting. Drost, the brothers Fabritius, and de Gelder seem to be on the ascendant. Eeckhout too is being critically examined and the neglect of Maes is at an end. Bol by his facility suffers most readily yet who would deny that his *Saskia-Vanitas* (No. 23) is a portrait of great beauty? Can we ever expect to define the full legacy of Rembrandt?

DAVID G. CARTER

REMBRANDT ET SES ÉLÈVES

Une exposition comme celle-ci est essentiellement un point de repère qui nous permet de juger la valeur de l'oeuvre peinte des contemporains de Rembrandt et les rapports qui existaient entre eux.

Nous connaissons, grâce aux recherches de Slive, J. A. Emmens et Scheller, la place que Rembrandt occupait dans les esprits durant les seizième, dix-septième et dix-huitième siècles. Mais quelle place occupe-t-il aujourd'hui? Faut-il s'incliner et admettre que les opinions des historiens suivent le va-et-vient des courants de l'histoire de l'art ou bien est-il possible d'en arriver maintenant à des conclusions définitives? Dans le second cas, il ne suffit plus, pour obtenir des résultats, de faire appel aux connaissances esthétiques et historiques, mais il faut mettre en oeuvre des examens de laboratoire et tenir compte des observations qui résultent du nettoyage des tableaux. Un progrès constant est assuré, d'ailleurs, au fur et à mesure que se poursuivent les études portant sur les artistes de l'entourage de Rembrandt, ce qui, finalement, contribuera à éclaircir bon nombre de problèmes touchant au maître. Parfois il arrive que le tableau lui-même nous donne des informations et même, à l'occasion, nous fournisse des preuves concluantes, comme dans le cas de la signature sur le beau Carel van der Pluym, *La Parabole des Ouvriers de la Vigne* (no 99), qui était attribué à Rembrandt et aussi dans le cas de l'*Esther* de Rembrandt (no 9) ou du *Sacrifice de Manoah* (no 61), de Flinck, où des dates précises sont apparues. On a aussi eu recours à l'examen critique et à l'analyse du style pour confirmer les signatures qui étaient considérées douteuses, celle de Rembrandt sur le Festin d'Esther (no 1) et celle de Barent Fabritius sur l'*Agar quittant Abraham* (no 53). D'autre part, des études de style faites sur certains tableaux ont donné lieu à des controverses au sujet des signatures qui apparaissent sur les Rembrandts, *Le Jeune Homme à l'Epée* (no 7) et le *Paysage* (no 12), que l'on a voulu attribuer à Bol et à Furnerius, respectivement. Mais ici, nous n'avons que l'analyse du style pour nous guider.

Il est difficile d'en arriver à des décisions en s'appuyant seulement sur le style car dans bien des cas, et certainement dans celui de Rembrandt, nous n'avons pas toutes les données requises; c'est pourquoi nous voyons, par exemple, que les érudits n'arrivent pas à se mettre d'accord sur l'attribution du *Festin d'Esther* (no 1) et, tour à tour, l'attribuent à Rembrandt ou à Lievens. Comment peut-on établir, entre les oeuvres authentiques de Rembrandt et celles de ses élèves, une distinction précise qui nous permette de mieux comprendre la portée de l'oeuvre de l'un et des autres.

Ce serait bien facile s'il y avait une différence de qualité apparente. On connaît l'histoire de certains tableaux attribués à Rembrandt qui, à la suite d'un nettoyage révèlent la signature d'un élève jusqu'alors sous-estimé. Il faut pourtant nous souvenir du grand nombre de tableaux du maître où le thème est rendu avec une grande précision mais dont la qualité esthétique n'est pas transcendante; sans doute étaient-ils commandés surtout pour leur contenu didactique.

W. von Bode, Bredius, C. Hofstede de Groot et W. R. Valentiner ont attribué à Rembrandt un grand nombre d'oeuvres, mais au cours des années 1920, on a vu J. van Dyke assurer qu'ils étaient de la main de certains élèves. A l'heure actuelle, les travaux de K. Bauch, H. Gerson, J. Rosenberg, S. Slive et R. Haak semblent devoir apporter de nouvelles lumières. Le Centre de recherches sur Rembrandt créé par le gouvernement hollandais recueillera sans doute une importante information technique qui aidera les érudits à tirer des conclusions plus définitives. Bien sûr, faut-il tenir compte des données déjà acquises mais nous devons être prêts à reviser nos jugements lorsqu'apparaissent des peintures jusque-là peu connues ou même inconnues, ou lorsque sont mis à jour des éléments nouveaux dans le développement d'un artiste. Mentionnons ici le cas de la découverte à Worcester d'une version inconnue du *Saint Barthélémy* de Rembrandt dont une reprise, dans la collection Friedsam, au Metropolitan Museum of Art de New York a été fréquemment reproduite. Des rapports moins évidents existent entre certaines variantes et répliques de tableaux de la première étape du maître. Examinons le portrait de Rembrandt par lui-même (no 5), dans la collection Cevat et la version plus grande qui se trouve à Kassel et une troisième version qui appartient à Sir John Heathcoat Amory de Bart, sans oublier le petit *Autoportrait* de la Alte Pinakothek, de Munich. Tous ces tableaux, il faut les étudier, non seulement en raison de leur véracité, mais aussi en tant qu'essais pour déterminer les proportions et les effets de lumière. A ce propos, mentionnons le *Portrait de Rembrandt* (no 18), de la Galerie Nationale du Canada et l'autre *Autoportrait* (no 10) de Woburn Abbey. Sont-ils du même auteur? Ou s'agit-il, dans le cas de la toile d'Ottawa, d'un élève fort doué, peut-être Govaert Flinck?

Comment faut-il comprendre les rapports entre Rembrandt et ses élèves? On pourrait, à la rigueur, chercher à établir l'importance de ceux-ci en les considérant comme des artistes indépendants. Bon nombre d'historiens de l'art ont adopté ce point de vue et ont publié d'intéressantes monographies sur Jacob A. Backer, Gerrit Dou, Barent Fabritius, Govaert Flinck, Aert de Gelder et Nicolaes Maes. D'autre contemporains de Rembrandt ont aussi fait l'objet de livres et c'est ainsi que nous trouvons des ouvrages sur Philips Koninck, Leonard Bramer et sur le maître de Rembrandt, Pieter Lastman et sur certains autres dont les oeuvres ne figurent pas dans cette exposition. Cependant, malgré toute cette documentation, à laquelle s'ajoutent un grand nombre d'articles, nos connaissances sont encore bien incomplètes. Mais, en dépit des omissions inévitables, nous savons que nombreux sont les élèves et les collègues de Rembrandt qui jouissaient de l'estime de leurs contemporains et conservent encore la faveur des connaisseurs.

Quand on étudie les rapports entre Rembrandt et ses élèves, on ne doit pas oublier que le maître peut s'enrichir au contact de l'élève et que l'élève, à son tour, subit d'autres influences que celle de son maître. Rembrandt lui-même, quand il était élève de Swanenburg cherchait d'autres sources d'inspiration et pendant son association avec Lievens se soumit à d'autres courants. La série des cinq sens (nos 2–3) ne s'explique, d'ailleurs, que par la connaissance qu'avait Rembrandt des travaux d'Adrian Brouwer. On sait également que Barent Fabritius, un des élèves du maître, s'inspira du tableau de Jan Pynas (1613) à Aix-la-Chapelle, pour son *Agar quittant Abraham* (no 53) peint vers 1650. Le fait d'étudier sous la direction de Lastman n'empêcha pas Rembrandt d'absorber l'art des frères Pynas, les styles en vigueur à Utrecht et dans les Flandres et les hauts faits de l'art italien. Un atelier permet en outre aux élèves de s'influencer les uns les autres. Il est parfois difficile de juger de la nature de ces échanges, comme dans le cas de Flinck et d'Eeckhout où la ressemblance se borne au style et rarement au choix de sujet.

Il est aussi fort intéressant de suivre le vocabulaire pictural tel qu'il est recueilli par Rembrandt et ensuite transmis à ses élèves. La *Lapidation de saint Etienne* (no 103), de Jacob Pynas, nous fournit des indications à ce sujet. Même s'il n'en fut jamais l'élève, Rembrandt, de toute évidence, connaissait bien l'oeuvre de ce peintre, comme le prouve son *Martyre de saint Etienne*, de 1625, à Lyon où il a recours à une composition répétant sensiblement celle du Pynas de 1617. Rembrandt continue d'assimiler et de transformer le langage pictural de son époque et il convient d'examiner sa petite eau-forte de 1635 (Boon 112) qui reproduit certaines figures importantes du beau dessin du même sujet par Samuel van Hoogstraten, dans la collection de Minneapolis Art Institute. D'autre part, l'*Autoportrait* (no 24) de son élève, Ferdinand Bol, se place à la fin d'une série d'images que l'on peut suivre à travers des portraits similaires dans les musées de Springfield et de Los Angeles. Cette oeuvre de Bol, il faut la voir dans ses rapports avec l'*Autoportrait* de Rembrandt à la National Gallery de Londres, peint en 1640, et avec l'eau-forte du maître, datée 1639 (Boon 149), qui dérivent tous deux de l'*Arioste* du Titien et du *Baldassare Castiglione* de Raphaël. Dans ces circonstances, il convient de se demander si le portrait de Rembrandt peint par Flinck qui se trouve dans la collection de Girardet à Kettwig fut le résultat d'un hommage rendu à son maître par l'élève ou si ce dernier voulait simplement montrer à un ancien collègue, en l'occurence Bol, comment il faut peindre un tableau de ce genre.

Rembrandt, nous le savons maintenant, est l'un des grands génies que l'humanité a produits, mais ses élèves et associés ne le considéraient pas seulement sous cet aspect. Ils se posaient certainement des questions d'ordre pratique et se demandaient quelle était la qualité de son enseignement et dans quelle mesure le travail dans l'atelier du maître leur assurerait les connaissances et la technique nécessaires pour devenir de bons peintres et faire, par la suite, une carrière profitable. Le cas d'Aert de Gelder est particulièrement frappant: il se soumit presque totalement à l'influence de Rembrandt et décida de continuer dans cette voie pourtant si contraire à la mode du jour, ce qui le fit tomber dans un oubli temporaire après sa mort. Son tableau *Abraham et les Anges* (no 69), non seulement s'inspire de la composition de Rembrandt, portant le même titre, qui se trouve aujourd'hui à Rotterdam, mais encore est un geste d'hommage sur le plan esthétique au chef-d'oeuvre du maître, *Claudius Civilis*, 1661, qui avait été destiné à l'Hôtel de Ville d'Amsterdam. Certains peintres comme Samuel van Hoogstraten firent des études sérieuses et poussées chez Rembrandt mais, par la suite, abandonnèrent son style et ses idées. Ce changement devient évident si l'on compare son oeuvre de jeunesse *Jeune Femme au Repos* (no 75) à son *Intérieur hollandais en Trompe-l'Oeil* (no 74), peint en 1663, qui révèle son intérêt pour les lois de l'optique.

Deux autres problèmes qu'il convient d'éclaircir sont celui de la qualité même des peintres qui ont reçu l'enseignement de Rembrandt et celui du jugement que portaient sur eux leurs contemporains. Bon nombre d'entre eux ont acquis une haute réputation, mais certains ne dépassèrent pas le niveau de l'imitateur prosaïque et pédant. Le charme d'un Marienhoff est-il dû au hasard et sa réputation tient-elle uniquement de sa version du tableau de Rembrandt, *La Compagnie du Capitaine Banning Cocq?* Michael Wilmann était-il un peintre sérieux ou l'un des nombreux jeunes gens qui venaient s'amuser dans l'ambiance métropolitaine d'Amsterdam? Que faut-il penser du peintre Bernhard Keil qui, durant son voyage vers le sud, a passé deux ans dans l'atelier de Rembrandt? Malgré cela, il adopte, dans sa maturité, un style fort différent, comme on peut l'observer dans *La Parabole des Travailleurs dans une Vigne* (no 77) et l'oriente vers la mode de l'Italie septentrionale. On remarque fréquemment que le progrès de l'élève s'arrête au niveau du maître, ce qui peut expliquer les poses plutôt rigides des personnages dans les toiles de Jacob van Spreeuwen et quelquefois dans celles de Willem de Poorter. Cela est sans doute dû aux conseils de Rembrandt qui, à Leyde et pendant les premières années de son séjour à Amsterdam, n'avait pas encore atteint la plénitude de son génie. Si nous examinons la *Bellona* (no 6) peinte par Rembrandt en 1633, ce qui nous frappe, c'est l'air de matrone du sujet qui se combine mal avec les armures exotiques dont l'affuble l'artiste. L'*Esther* (no 9) de la Galerie Nationale du Canada, par contre, est un tableau réussi. Cette oeuvre a, sans doute, servi d'inspiration à de Poorter quand il peignit *Sophonisbe Buvant le Poison* (no 100).

Rembrandt avait à résoudre un problème qui se pose encore à tous les amateurs de peinture hollandaise. Quels étaient les élèves capables d'inspiration et de progrès? Pour le maître, le problème n'était pas seulement esthétique mais économique et pédagogique. Rembrandt conduisait ses affaires selon l'usage du temps. En Italie et en France, les artistes contemporains fondaient des académies, tandis que dans la plupart des villes hollandaises, même dans celles où existaient des académies naissantes, la coutume traditionnelle était de rigueur et tout jeune homme cherchant à devenir un artiste devait d'abord se faire accepter dans l'atelier d'un maître. Nous savons maintenant que Rembrandt préparait un plan financier précis pour ses étudiants. Des reçus au nom d'Isaac de Jouderville nous le confirment. Ils représentent les honoraires annuels qui se chiffraient à 100 florins.

De Jouderville est représenté dans l'exposition par le tableau *Intérieur d'une Cuisine* (no 76) qui est le reflet de l'expérience obtenue aux côtés du maître, à Leyde.

Il convient de se demander ce qu'était l'atelier de Rembrandt. S'agissait-il de l'institution traditionnelle telle que la préconisaient les guildes ou était-ce une version améliorée de l'établissement mené par son contemporain, le grand peintre flamand Pieter Paul Rubens, à Anvers? Comment comparer l'atelier de Rembrandt avec celui de l'académicien Abraham Bloemaert à Utrecht? Ces comparaisons s'imposent non seulement en raison de la grande réputation de ces maîtres, mais à cause du nombre de leurs élèves. Rembrandt ne fut jamais un homme d'affaires averti et il semble qu'il a simplement suivi les coutumes de son époque dans l'organisation et la direction de son atelier. Quelques documents épars provenant des archives nous donnent des indications sur sa façon de procéder. De plus, il est évident qu'il existe des comparaisons possibles entre l'atelier de Rembrandt et celui de Rubens, ce maître brasseur d'affaires.

Rembrandt ne s'écarte jamais des règlements de la guilde et il respecte les normes du travail en vigueur à l'époque. La plupart de ses élèves travaillaient quelques années à l'atelier avant de s'établir comme artistes indépendants. La durée de leur séjour, en dépit de tout ce qui a été dit par la suite, est un témoignage éloquent de l'estime dont jouissait Rembrandt auprès de tous les aspirants artistes de son époque. N'eut-il pas plus de cinquante élèves? En théorie, seul Lastman aurait droit de se considérer un maître plus important car lui, il eut parmi ses élèves et Lievens et Rembrandt. Sa gloire est d'avoir formé le plus grand artiste de la Hollande.

Pouvons-nous comparer le fonctionnement d'un atelier au dix-septième siècle, en général, et en particulier celui de Rembrandt, à ce qui existe aujourd'hui? Quel rôle y jouaient le dessin et la gravure? Rembrandt lui-même nous a laissé des autoportraits au crayon, à l'eau-forte et à l'huile; un paysage, celui du Musée de Montréal (no 12) existe aussi dans ces trois versions. En effet, il y en a un dessin à Berlin et une pointe sèche (no 12a), à Boston. Dans ce dernier cas, le même motif a été repris par un autre artiste puisqu'il existe une esquisse de cette composition par Philips Koninck, dans la collection de M. Frits Lugt, à Paris. En d'autres mots, on faisait des études préparatoires, mais à quoi servaient ces gravures? Deux élèves, Joris van Vliet et Wenceslas Hollar se consacraient à la gravure et il est possible de croire que Rembrandt ait eu l'intention de préparer van Vliet à la constitution d'archives au moyen de la reproduction gravée des oeuvres. Rubens avait, dans ce sens, indiqué la voie. Il est évident que Rembrandt, tout autant que Rubens, était au courant de la grande popularité de la gravure en Italie, mais dépassant de loin les intentions de Rubens, il créa un oeuvre gravé monumental jamais égalé depuis.

Les artistes avaient abandonné progressivement l'emploi des livres de motifs, si caractéristiques du moyen âge, pour se tourner vers les illustrations académiques comme celle que publiait le peintre Abraham Bloemaert d'Utrecht. Ces livres étaient disséminés un peu partout. Il faut citer également certains albums abordant des sujets assez particuliers, comme ceux de Jacob Marellus consacrés à l'étude des tulipes; mais ces livres n'étaient évidemment pas conçus pour des fins exclusivement artistiques. A travers toute l'Europe donc, les artistes empruntaient dans les gravures des figures individuelles ou des groupes pour les incorporer dans leurs propres oeuvres. C'est ainsi que les élèves de Rembrandt trouvaient tout naturel de puiser dans les oeuvres de leur maître ou d'autres artistes, des idées pour leurs dessins, leurs gravures ou leurs tableaux. Disons en passant, qu'à part les élèves de Rembrandt, Abraham Furnerius, Lambert Doomer et Constantijn van Renesse sont connus aujourd'hui surtout en raison de leur oeuvre gravé. De même que les artistes de nos jours s'attachent à un certain style, les artistes de l'époque baroque accordaient leur préférence à un nombre limité de thèmes bien précis. La figure individuelle ou le groupe devenaient les éléments d'un vocabulaire dont l'interprétation dépendait de la puissance expressive de chaque artiste.

Deux tableaux, *le Sacrifice de Manoah* (no 61) peint en 1640 par Flinck et *l'Ange quittant Tobie et sa Famille* (no 113) de Victors, constituent une démonstration presque classique de la permanence d'un motif, en l'occurence, un ange. Pris sur le vif, l'ange est vu de derrière dans l'exécution d'un mouvement ascendant. Il est évident que les deux artistes ont emprunté cette figure d'un tableau de Rembrandt de 1637 qui se trouve maintenant au Louvre. De son côté, Rembrandt savait tirer profit de ses rencontres avec des motifs intéressants, car lui-même avait emprunté cet ange à une gravure sur bois du même sujet que Martin van Heemskerck avait exécutée en 1563. Il est possible d'affirmer que, parmi les élèves de Rembrandt et chez le maître lui-même, il existait une espèce de culte dont l'objet était de donner une expression physique des anges. Les anges assistent généralement aux événements qui accompagnent une décision ou un choix. Ces interprétations très personnelles des situations bibliques proviennent des idées mennonites et jansénistes chères à Rembrandt. La tradition artistique dont Rembrandt tirait son inspiration s'étendait à Elsheimer et Lastman. Or, dans le *Sacrifice de Manoah* (no 85) de ce dernier, daté en 1627, on remarque un ange traité selon le goût italo-flamand et ce motif persiste dans un autre dessin de Lastman achevé par Rembrandt (publié par O. Benesch, No. 474 dans son catalogue raisonné des dessins de Rembrandt). L'année 1642 nous apporte le fort beau *Gédéon et l'Ange* (no 44) par Eeckhout, dont il existe un dessin à la plume et à l'aquarelle au musée Herzog-Anton-Ulrich de Braunschweig. Une fois de plus, on constate un emprunt artistique fait à Rembrandt, bien que Eeckhout ait souvent cherché directement ses idées chez Lastman. Un dessin à la plume, le numéro 56 du catalogue de M. D. Henkel des dessins du Rijksmuseum, semble en être la source. Dans une peinture attribuée à Barent Fabritius (no 52), l'ange est placé de la même manière, devant l'autel, mais Gédéon apparaît sous l'aspect d'un personnage en prière baissant dévotement les yeux et la tête.

Les lois de la peinture figurative et le goût d'une société fière de son succès matériel, voilà ce que devait satisfaire l'artiste hollandais du dix-septième siècle. On admirait surtout certains sujets bien déterminés et un style qui pouvait s'accorder avec le progrès commercial. Si le peintre décidait de lui-même de se consacrer à la nature morte ou au paysage ou aux deux genres à la fois, il n'était cependant pas libre de choisir le chemin qui mène à la compétence professionnelle. Une fois devenu apprenti, l'aspirant devait se soumettre au système en vigueur qui commençait par le dessin pour passer ensuite aux études à l'huile et finalement à la préparation de modèles pour les projets à grande échelle auxquels il collaborait sous la direction du maître. En ce qui concerne le fonctionnement des ateliers, il existe des dessins de Rembrandt, Constantijn van Renesse, Sweerts et autres dépeignant des classes de modèles vivants. Ceci peut être corroboré par un grand nombre d'esquisses faites d'après modèle par Rembrandt, Eeckhout, Flinck, Backer et autres. Dans certaines compositions on aperçoit aussi des moulages qui faisaient partie de l'ameublement des ateliers: Andries Pels, dans un poème écrit en 1680, confirme que Rembrandt et ses élèves dessinaient et peignaient sur le vif sans idéaliser le sujet, car l'auteur se plaint de l'absence de principe pouvant guider ses activités. Ni Rembrandt ni ses élèves n'avaient recours à des supports aux formes capricieuses comme c'est parfois le cas de nos artistes contemporains, car ils devaient s'en tenir aux limites que leur imposait la technologie artistique de leur temps.

Les artistes du dix-septième siècle ne pouvaient pas se procurer de la couleur préparée en industrie, il fallait la broyer dans l'atelier et c'était les apprentis qui s'en chargeaient. Quand Dou, Eeckhout et d'autres commençaient leur stage chez Rembrandt à l'âge de 10 à 14 ans, ils débutaient par ces tâches fondamentales de fabrication. Les vernis n'avaient pas non plus une qualité uniforme et c'est pourquoi il n'y a pas lieu d'être surpris quand on rencontre certaines expérimentations techniques. Il y a quelques années, le Laboratoire national à Bruxelles, en collaboration avec la République Fédérale Allemande, a entrepris un examen technique de 20 tableaux par Rembrandt et ses élèves. On s'est aperçu que neuf de ces tableaux avaient été peints sur un enduit très spécial; cet enduit contenait du kaolin qui est une terre glaise employée en céramique. Feu Paul Coremans qui était à l'époque directeur du Laboratoire des Musées de Belgique, fit l'observation que les tableaux peints sur l'enduit au kaolin étaient datés de l'époque de la renaissance de l'industrie de la porcelaine hollandaise (la porcelaine de Delft). Il est permis de croire qu'il existait un contact entre les diverses disciplines artistiques et que Rembrandt ne craignait pas de faire l'essai de produits nouveaux. La découverte de jaune de plomb étain que fit M. Hofstete de

Stuttgart dans huit des vingt tableaux déjà mentionnés, et la présence de la même substance décelée par M. Ruggles dans l'*Esther* (no 9) de Rembrandt, prouvent que celui-ci se servait d'une couleur qui n'était plus en usage au dix-huitième siècle. Jusqu'en 1634 Rembrandt employait comme support à ses tableaux, des panneaux de bois; par la suite, il se servit de toile. Cette préférence s'est d'ailleurs manifestée dans les Flandres où Rubens et Jordaens ont également passé à la toile. Il est à noter que la plupart des élèves de Rembrandt ont, à certains moments, peint sur panneau et certains d'entre eux, comme Dou, de Poorter et Doomer, semblent avoir préféré le bois.

Devant la quantité d'oeuvres de Rembrandt, il convient de se demander si un certain nombre d'entre elles ne sont pas le produit d'un système d'atelier similaire à celui que dirigeait son contemporain flamand, Pieter Paul Rubens. Dans les grandes lignes, il faut répondre par l'affirmative. Rembrandt se souciait fort de maintenir un style personnel dans toutes les oeuvres produites à son atelier, car il était entendu que le maître avait le droit de vendre les oeuvres de studio créées par ses élèves. L'historien de l'art, de nos jours, considère moins l'oeuvre de l'artiste comme un phénomène de génération spontanée que comme le résultat des influences qui le précèdent et qui l'accompagnent. Les recherches récentes de Jan Veth, Fritz Saxl et Sir Kenneth Clark, démontrent que l'Italie classique projette une ombre puissante sur l'inspiration de Rembrandt. Vitale Bloch nous indique que beaucoup de ces sources italiennes étaient facilement accessibles, ayant été véhiculées par certains artistes hollandais comme Lucas van Leiden. Il faut tenir compte également de l'expérience que Rembrandt acquit sous la direction de Lastman qui avait une profonde admiration pour Michel-Ange, Raphaël, Véronèse et le Dominicain. Tout cela est fort apparent dans le Saint Mathieu (no 84) de 1613. Selon l'examen de Bloch des rapports maître-élèves, il apparaît que le style de Rembrandt et ses conceptions esthétiques étaient déjà formés quand il s'incrivit à l'atelier de Lastman. D'autre part, et on en fait souvent la remarque, le style des élèves de Rembrandt suivait de près celui du maître pendant qu'ils étaient sous sa tutelle. Il ne fait pas de doute que l'atelier devait produire des oeuvres de bonne qualité, exécutées dans la technique la plus parfaite possible; Rembrandt ne cherchait pas à développer des virtuoses mais se limitait à mener une affaire. Dans ce sens, dès que ses élèves s'apercevaient d'un changement de style ou de spécialisation dans un genre donné, comme par exemple, le portrait, ils adoptaient ce changement dans la mesure où il ne violait pas leur sens esthétique et leur donnait au contraire des mobilités artistiques accrues.

L'origine des élèves de Rembrandt est curieuse. A Leyde, l'atelier était ouvert à tout venant et admettait jusqu'au fils d'un voisin, Gerard Dou. Il n'en fut pas de même à Amsterdam quand les grandes commandes vinrent confirmer la réputation de Rembrandt et que tout le monde cherchait à se faire admettre. Après la ville d'Amsterdam, ce fut Dordrecht qui fournit le plus grand nombre d'élèves et ceci explique peut-être que le style de leur concitoyen Cuyp, ne s'éloigne pas souvent de la composition et du jeu de lumière à la manière de Rembrandt, bien qu'il n'ait pas étudié avec lui. Parmi les élèves de Dordrecht on distingue Lesire, Bol, Drost, van Hoogstraten, de Gelder, Maes, qui, d'ailleurs, termina sa carrière dans cette ville. Il y eut également un petit nombre d'étudiants étrangers; Keil, dont nous avons déjà parlé, Govaert Flinck, qui vint de Clèves et fut même surnommé "l'Appelle de Clèves" par Joost van den Vondel, le grand poète hollandais de l'époque. Von Paudiss, Marienhoff, Wulfhagen, Wilmann et Mayr vinrent de très loin pour étudier chez Rembrandt.

A certains moments, Rembrandt devait juger ses élèves, surtout s'il devait décider de s'en séparer ou de leur confier des tâches plus importantes. Ses décisions ne découlaient pas exclusivement du degré d'habileté technique de l'élève mais dépendaient également du talent d'exprimer ce que Rembrandt définit dans une lettre à Constantijn Huygens, secrétaire du Prince Frederick Henry, le 12 janvier 1639, comme "l'intensité de l'émotion la plus intime" (die meeste ende die naetueerelste beweechgelickheyt). Il n'était pas suffisant d'avoir un vocabulaire et un répertoire d'images et de gestes; l'artiste devait pouvoir traduire les sentiments profonds et les pensées des êtres qu'il peignait. Rembrandt aurait certainement approuvé les expressions violentes de Cuyp quand il dépeint l'*Annonciation aux Bergers* (nos 34, 35) et il a certainement regardé favorablement l'exécution de l'*Isaac bénissant Jacob* (no 59) de Flinck, daté de 1638, de même que l'*Abraham et les Anges* (no 69) de de Gelder, peint en 1660. Tout cela indique que la "peinture historique", c'est-à-dire, la représentation des thèmes religieux, mythologiques et historiques, était considérée plus importante que le portrait ou le paysage. Les besoins artistiques de l'époque réclamaient les genres suivants: le portrait, le paysage, la nature morte et la peinture historique. Il y eut même des spécialistes qui, le cas échéant, collaboraient à une oeuvre, comme il est arrivé dans le cas de Rembrandt et de Lievens et certainement aussi entre Rubens, d'une part, et Breughel, van Dyck ou Snyders, de l'autre.

Amsterdam possédant de nombreux peintres de natures mortes, il est assez étrange que seuls quelques-uns aient pris le chemin de l'atelier de Rembrandt. Lievens, son associé de Leyde, Flinck, Philips Koninck, von Paudiss et Dullaert pratiquèrent parfois ce genre (no 42). Dou, fidèle aux enseignements de Leyde établis par des artistes tels que de Heem (no 73), a aussi fait de la nature morte et l'on a retrouvé l'une d'elles sur le couvercle d'une caisse. Bramer et de Poorter s'amusèrent à grouper des natures mortes dans des tableaux comme l'*Homme à l'Armure avec Nature morte* (no 101) de de Poorter.

Quant au paysage, on constate avec étonnement que Rembrandt qui en a dessiné tant, comme le prouve son oeuvre gravé, en a pourtant peint bien peu. On peut également noter cette rareté du paysage chez ses élèves. Koninck et Roghman qui ont laissé de splendides paysages, dont l'ample facture reste inégalée étaient plutôt des collègues que des élèves. Cette exposition présente une oeuvre de Koninck, son dernier paysage (no 80) daté de 1676 qui représente une immense plaine cultivée (no 80). De Roghman, l'exposition renferme un splendide paysage montagneux (no 107). Sa technique impressionniste devance Constable et même Turner. Plus tard, dans sa période italienne, il se distingue par des paysages de montagnes romantiques et colorés (no 108).

Le portrait, d'autre part, était fort recherché dans la commerçante Amsterdam. Bien sûr, ce genre ne jouissait pas de la même estime que la peinture historique, mais ceci n'empêchait pas les artistes de s'y adonner car ils voyaient là un moyen efficace de gagner leur vie. Rembrandt peignait deux sortes de portraits, ceux qui étaient des études ou qu'il voulait conserver à titre de souvenirs personnels et ceux qu'il exécutait selon le goût de ses clients. Ses élèves le suivirent dans cette voie.

Lievens, le compagnon des jeunes années de Rembrandt, incorpore des études d'un caractère fort personnel dans sa composition de genre, *Portrait d'un Homme vu de Profil* (no 91), et dans le *Jeune Bacchus* (no 90). Dans son *Portrait d'une Femme* (no 88), de 1650, il adopte la manière de Van Dyck qui était, apparemment, plus rentable que celle de Rembrandt. Quand Rembrandt commença de produire ses puissants portraits des années 1630, entre autres celui du *Syndic d'Amsterdam* (no 8), Flinck fut bien près de l'égaler avec son *Portrait d'un Homme* (no 62), de 1641.

Cependant, vers 1648, Flinck préféra l'élégance de style d'un Bartolomeus van der Helst pour ses portraits d'une Dame et d'un Gentilhomme (nos 63, 64). Backer et Bol sacrifièrent aussi à cette mode. On le constate déjà dans le *Portrait d'une Dame* (no 19), daté de 1641 de Backer, mais à un degré beaucoup plus frappant dans l'austère et magistrale figure du John Herron Museum of Art (no 21) et dans le *Portrait d'un Noble* (no 22), tous deux peints en 1659.

Le portrait d'enfants et de jeunes gens a toujours été une spécialité. Backer, Flinck et Drost furent parmi ceux qui s'y adonnèrent avec le plus de succès. *Le Garçon en Gris* de Backer, au Mauritshuis, le charmant portrait de Flinck, daté de 1640, *Jeune Fille près d'une Chaise* (no 60), également au Mauritshuis et le *Portrait d'une jeune Fille et d'un Garçon* (no 41) de Drost sont des compositions fort attachantes. L'un des rares portraits de Doomer, *Jeune Couple debout à côté d'un Globe* (no 36) est moins réussi, peut-être à cause de l'addition d'une figure de jeune homme. Lorsque l'on traite de ce sujet, on ne peut passer sous silence l'un des chefs-d'oeuvre de Rembrandt, son splendide *Portrait de Titus* (no 15), peint vers 1660. Le changement dans la composition, visible dans la position de la main sous le menton, indiquerait que Rembrandt peignit cette oeuvre sans en faire d'abord une ébauche sur la toile. Le musée de Rotterdam possède un dessin à la plume de Rembrandt, montrant un jeune homme dans la même position.

Des oeuvres aussi différentes que le sobre *Portrait d'un Homme* (no 39) de Drost et le romantique et dramatique *Portrait d'un Acteur* (no 68) de de Gelder illustrent bien la diversité des talents que Rembrandt attirait à lui. Le *Portrait d'un Gentilhomme* (no 86) de Lesire s'apparente au style de Benjamin Gerritsz. Cuyp et à celui de Rembrandt dans ses années de Leyde, mais se trouve au pôle opposé du *Portrait d'un Philosophe* (no 95), d'un autre élève de Rembrandt, Nicolaes Maes. Ce portrait daté de 1666, qui représenterait Spinoza, où les formes sont réduites à l'essentiel et où l'élément principal est la lumière, s'inspire d'autres aspects de l'art de Rembrandt. Maes, dans les trente dernières années de sa vie, s'appliqua à capter les scènes de la vie urbaine. La toile *Mère avec deux Enfants jouant dans un Parc* (no 97) en est un exemple. Contrastant fortement avec le portrait de groupe peint par Maes dans un style cérémonieux et décoratif, mais tout de même vivant, nous trouvons l'étude de Rembrandt *Jeune Femme* (no 17). Peinte vers la fin de la vie du maître, elle semble représenter la même personne qui servit de modèle au personnage de la mère dans le *Portrait de Famille* peint vers 1668, de la collection du Herzog-Anton-Ulrich Museum de Braunschweig. Il n'y a pas lieu, cependant, d'associer la toile de Montréal, pas plus que celle de Braunschweig avec l'*Homme à la Loupe* et *La Femme à l'Oeillet* du Metropolitan Museum of Art de New York, comme on ne peut plus identifier la jeune femme de l'étude avec Hendrickje Stoffels ou Magdalena van Loo. Le *Portrait de famille* dont nous venons de parler se distingue, par ses harmonies chromatiques de couleurs qui laissent prévoir celles qu'emploiera plus tard de Gelder et, quelques siècles plus tard, Monticelli.

Ajoutons que le mari dans ce groupe de Braunschweig est certainement le même personnage que l'on trouve debout derrière les officiers de la guilde des drapiers dans *De Staalmeesters*, de 1662, de la collection du Rijksmuseum. Aert de Gelder, le dernier élève de Rembrandt a tenté de rendre l'affection et la chaleur qui existent au sein de la famille dans *La Famille Herman Boergave*, peint vers 1722, de la collection du Louvre, mais n'a pu atteindre les mêmes résultats que son maître.

La société d'Amsterdam commandait force portraits, natures mortes et paysages, mais dédaignait les sujets religieux, mythologiques ou historiques auxquels, par contre, critiques et savants accordaient la première place. Dans ce milieu remontrant-mennonite, seuls quelques clients particuliers commandaient des peintures religieuses. Cependant, en 1659, les bourgmestres de la ville demandèrent à Govaert Flinck de décorer l'Hôtel de Ville achevé en 1655 par Jacob van Campen. Flinck vécut seulement le temps de compléter une série d'études à l'aquarelle; Juriaen Ovens en utilisa quelques unes qui sont encore sur place. Ni Flinck, ni Ovens n'adoptèrent pour la décoration, le style de Rembrandt. Lievens et le grand peintre flamand, Jacob Jordaens, participèrent également à ce travail. Ces grandes peintures murales devaient représenter la rébellion des Bataves, sous le commandement de Gaius Julius Civilis, contre Rome, en l'an 69 de notre ère. Les raisons diplomatiques qui motivèrent le choix de ce sujet antique plutôt que les révoltes récentes contre l'Espagne et la Hollande espagnole sont faciles à comprendre. Après la mort de Flinck, Rembrandt peignit l'un des tableaux, *Le Serment des Bataves à Gaius Civilis*. Cette toile, maintenant à Stockholm, est généralement connue sous le titre de *Claudius Civilis*. Nous exposons également un croquis à l'huile de Ferdinand Bol, exécuté vers 1658 et intitulé *Les Pourparlers entre Gaius Julius Civilis et Caesius Rufus Quintus Petillius Cerealis sur le Pont démoli* (no 28), pont situé près de Trèves où les discussions auraient eu lieu en l'an 70 de notre ère. Bol, a cause du grand nombre de personnages à mettre en scène, avait à faire face à d'énormes difficultés de composition qui l'obligèrent à faire de nombreux changements, ainsi que le révèlent les repeints. Quant à la violence du clair-obscur, elle s'inspire, sans doute, de l'art de Tempesta. Du point de vue pictural, cette esquisse présente un intérêt réel; cependant, elle ne fit jamais le sujet d'une grande toile. Un semblable croquis à l'huile exécuté par Bol pour l'Hôtel de Ville et intitulé *L'Intrépidité de Gaius Fabricius au Camp de l'Armée de Pyrrhus* (no 25) décrit une autre légende du courage romain survenue vers 280 av. J.C. Il en existe une autre version dans une collection particulière en Allemagne et une étude magistrale, plus grande que nature, de la figure de Pyrrhus (no 26) nous renseigne sur la manière dont on exécutait les grandes peintures murales. Bol montre un intérêt tardif pour les sujets classiques dans son oeuvre *Alexandre devant Diogène* (no 29) dans laquelle le jeu de la lumière et de l'ombre rappelle le Rembrandt des années 1640. Le Palais de la Paix à La Haye est fier de posséder un Bol dont le croquis à l'huile est au Worcester Art Museum. C'est *La Magnanimité de Scipion* (no 27), tout à fait rembranesque de style et théâtral de conception qui rappelle les nombreuses scènes bibliques que Rembrandt peignit entre les années 1635 et 1645. Eeckhout traita ce thème à trois reprises au cours des années 1650 et Flinck aborda le même sujet dans son *Marcus Curius Dentatus préférant des Navets aux Présents des Samnites*, 1656, de la collection du Rijksmuseum.

Si l'artiste doit maîtriser l'espace, la dimension, la forme, la lumière et la couleur, le connaisseur et l'historien doivent ensuite résoudre les mystères des styles, produits de ces facteurs. Cette exposition renferme un bon nombre de mystères de cet ordre et nous en avons étudié quelques-uns. Ces énigmes nous fascinent à cause du défi qu'elles représentent et parce que leur solution peut nous procurer la clé de problèmes beaucoup plus importants.

De nouvelles conceptions et de nouveaux modes d'expression ont modifié radicalement l'art hollandais à l'époque de Rembrandt et cela devient facilement apparent si l'on compare *La Mise au Tombeau* (no 104) de 1607, peint par Jan Pynas, à *La Lamentation* (no 14), des environs de 1660 et attribué à Rembrandt. Pynas s'inspirait de la peinture vénitienne des années 1600, en particulier de Domenico Feti. Ces deux toiles marquent les limites d'une étape de l'histoire de l'expression artistique qui englobe sept générations. Dans, *La Lamentation*, le personnage de la sainte femme, à gauche, rappelle la *Religieuse* d'Epinal et le saint Jean en pleurs ressemble à l'ange dans le *Saint Mathieu* du Louvre, tous deux peints par Rembrandt en 1661. Le jeune homme appuyé sur la croix fait penser au *Titus à son Pupître*, de 1655, dans la collection du Boymans-van Beuningen Museum et la figure du Christ se compare à celle du *Christ Ressuscité*, daté en 1661 qui se trouve à Munich. Cette peinture présente des qualités de style similaires à celles de la toile inachevée *Saint Pierre en Prison appelé par l'Ange* (no 58), attribuée à Carel Fabritius, cet artiste mort accidentellement en 1654, en pleine jeunesse. Le parallèle repose sur le traitement des figures, en particulier sur l'animation qui leur est transmise par une présence invisible située hors de la composition et sur les contrastes de lumière et d'ombre. Ce sont là des thèmes puissants traités d'une façon révolutionnaire.

L'un des problèmes que le savant doit résoudre, de nos jours, consiste à identifier des oeuvres qui résultent d'une collaboration, soit entre égaux, comme

Rembrandt et Lievens, soit entre maître et élève, comme Rembrandt et Bol. Lors de la mise sur le marché, le tableau était-il désigné comme l'oeuvre de l'artiste supérieur, le travail de l'assistant, ou simplement une oeuvre d'atelier? La collaboration entre spécialistes du paysage, de la nature morte ou des figures était très fréquente au dix-septième siècle. Il est plus difficile de discerner et de décrire la collaboration dans les compositions avec personnages. La grande toile, *Lamentation* (no 14) attribuée à Rembrandt, en est un exemple. Si l'on ne tient pas compte de certaines retouches ultérieures, on en arrive à la conclusion que deux artistes ont travaillé à cette oeuvre. Puisque la date des environs de 1660 est acceptable, on doit éliminer à peu près tous les élèves bien connus et le mystère reste impénétrable. Le tableau demeure donc un monument à la gloire de Rembrandt et d'un élève inconnu.

Le sort des élèves de Rembrandt est l'un des chapîtres captivants de l'histoire de la peinture européenne. La popularité de Drost, des frères Fabritius et de de Gelder semble s'accroître. La critique se penche attentivement sur l'oeuvre d'Eeckhout et l'indifférence qui entourait Maes est maintenant chose du passé. Bol, à cause de sa facilité, est encore peu reconnu et, pourtant, on ne peut nier que son *Portrait de Saskia* (no 23) soit une oeuvre d'une grande beauté. L'héritage que nous a légué Rembrandt apparaît vraiment inépuisable.

DAVID G. CARTER

REMBRANDT HARMENSZ. VAN RIJN
Leiden 1606 – Amsterdam 1669

chronology

1606	Son of miller Harmen Gerritsz. van Rijn and Neeltje Willems dr. van Zuytbrock
1613	Registered as student in letters at the Latin School, Leiden
1620	Enrolled at University of Leiden
1621–1624	Pupil of the Leiden burgomeester-painter Jacob Isaaksz. van Swanenburgh
1624–1625	Six months as pupil in Amsterdam of Pieter Lastman
1625	*Martyrdom of St. Stephen*, Lyon—first dated work
1625	Established as independent painter in Leiden where he shared a studio in a business and working relationship with friend Jan Lievens
1628	Gerard Dou, first pupil
1630	Death of Rembrandt's Father
1631–1632	Shifts to Amsterdam—reputation with painting *Anatomy Lesson of Dr. Tulp*—1632
1634	Marriage to Saskia van Uylenburch, 1642
1635	Son Rumbarts baptized Dec. 15, 1635; buried Feb. 15, 1636
1638	Daughter Cornelia baptized July 22, 1638; buried Aug. 14, 1638
1639	Acquired house in St. Anthonie Breestraat (then Jodenbreestraat 4–6), now Museum Rembrandthuis
1640	Death of Rembrandt's Mother Second daughter, called Cornelia, baptized July 29, 1640; Cornelia died before June 19, 1642 and probably buried Aug. 12, 1640

1641	Birth of son Titus, baptized Sept. 22
1642	Death of Saskia, June 14, buried in Oude Kerk, June 19 *Company of Capt. Frans Banning Cocq* (*Night Watch*), 1642
1643–1648	Lived with Geertje Dircx
1645	Entry of Hendrickje Stoffels into household
1648–1663	Lived with Hendrickje Stoffels
1654	Birth of Cornelia, daughter of Rembrandt and Hendrickje (3rd of name) baptized Oct. 30
1656	Bankruptcy—loss of house and art collection. 1656 inventory of collection
1657–1660	Public sale of house and furniture not enough to regain solvency
1658	Moved to near the Rozengracht where Titus and Hendrickje operated an art dealership—Rembrandt's work committed to this business
1660	December debts liquidated. Aert de Gelder—last pupil
1661	Execution of the *Claudius Civilis* for the new city hall of Amsterdam. The painting was taken back probably for revision and never reaccepted
1662	Execution of the *Staalmeesters* (The Syndics)
1663	Death of Hendrickje Stoffels
1668	Marriage of Titus with Magdalena von Loo; Titus died in the same year
1669	October 4th died in Amsterdam, October 8th buried in the Westerkerk

REMBRANDT HARMENSZ. VAN RIJN

Leyde 1606 – Amsterdam 1669

chronologie

1606	Fils du meunier Harmen Gerritsz. van Rijn et de Neeltje Willemsdr. van Zuytbroek
1613	Entre à "l'école latine" de Leyde, y suit le cours de lettres
1620	S'inscrit à l'université de Leyde
1621–1624	Devient apprenti dans l'atelier du bourgmestre-peintre Jacob Isaaksz. van Swanenburch
1624–1625	Etudie pendant six mois chez le peintre Pieter Lastman, à Amsterdam
1625	S'établit comme peintre indépendant à Leyde où il partage un atelier et collabore étroitement avec son ami Jan Lievens
1628	Gérard Dou devient son élève
1630	Décès du père de Rembrandt
1631–1632	S'installe à Amsterdam—Devient célèbre grâce à *La Leçon d'anatomie du Professeur Tulp* (1632)
1634	Epouse Saskia van Uylenburch (1642)
1635	Naissance d'un fils, Rumbarts, baptisé le 15 décembre 1635; inhumé le 15 février 1636
1638	Naissance d'une fille, Cornélia, baptisée le 22 juillet 1638; inhumée le 14 août 1638
1639	Achat d'une maison sur la St. Anthonie Breestraat (devenue, par la suite, Jodenbreestraat 4.–6), maintenant le musée Rembrandthuis
1640	Décès de la mère de Rembrandt—Une deuxième fille, nommée Cornélia, baptisée le 29 juillet, probablement inhumée le 12 août 1640. Mourut certainement avant le 19 juin 1642
1641	Naissance de son fils, Titus, baptisé le 22 septembre

1642	Décès de Saskia, le 14 juin; inhumée le 19 juin dans la Oude Kerk—*La Compagnie du Capitaine Banning Cocq* (*La Ronde de Nuit*)
1643–1648	Cohabite avec Geertje Dircx
1645	Arrivée de Hendrickje Stoffels dans sa maison
1648–1663	Cohabite avec Hendrickje Stoffels
1654	Naissance de Cornélia (troisième du nom), baptisée le 30 octobre, fille de Rembrandt et de Hendrickje
1656	Faillite—Perte de sa maison et de ses collections. Inventaire
1657–1660	La vente aux enchères de sa maison et des meubles ne rapporte pas suffisamment pour payer ses dettes
1658	Installation près du Rozengracht où Titus et Hendrickje ont fondé un commerce d'art – le travail de Rembrandt s'y trouve engagé
1660	En décembre ses dettes sont payées—Aert de Gelder devient son dernier élève
1661	Exécution de *La Conjuration de Claudius Civilis* pour le nouvel Hôtel de Ville d'Amsterdam—Le tableau lui fut retourné, probablement pour des retouches; ne fut jamais accepté
1662	Exécution des *Staalmeesters*, (Les Syndics des Drapiers)
1663	Décès de Hendrickje Stoffels
1668	Titus épouse Magdelena van Loo et meurt la même année
1669	Rembrandt meurt à Amsterdam, le 4 octobre; est inhumé le 8 octobre dans la Westerkerk

ABBREVIATIONS/ABRÉVIATIONS

c.	circa
d.	dated/daté
s.	signed/signé
mono.	monogram/monogramme
insc.	inscription/inscription
l.r./b.d.	lower right/en bas à droite
u.r./h.d.	upper right/en haut à droite
l.l./b.g.	lower left/en bas à gauche
u.l./h.g.	upper left/en haut à gauche
l.c./b.c.	lower center/en bas au centre
u.c./h.c.	upper center/en haut au centre
pan.	oil on panel/huile sur panneau
coll.	collections
ref.	references/références
ex.	exhibitions/expositions
AAM	Art Association of Montreal (after 1948 The Montreal Museum of Fine Arts/depuis 1948, Le Musée des Beaux-Arts de Montréal)
AGO	The Art Gallery of Ontario
AGT	The Art Gallery of Toronto (after/depuis 1966, The Art Gallery of Ontario)
BI	The British Institution, London

BMA	The Baltimore Museum of Art
BMFA	The Museum of Fine Arts, Boston
DIA	Detroit Institute of Arts
MAI	Milwaukee Art Institute
MMA	The Metropolitan Museum of Art, New York
MMFA/MBAM	The Montreal Museum of Fine Arts/Le Musée des Beaux-Arts de Montréal
NCMA	North Carolina Museum of Art, Raleigh
NGC/GNC	The National Gallery of Canada/La Galerie Nationale du Canada, Ottawa
RA	The Royal Academy, London
RISD	Museum of Art, Rhode Island School of Design, Providence
VAG	The Vancouver Art Gallery
Art D.	*Art Digest*
Art Bul.	*The Art Bulletin*
Art N.	*Art News*
AQ.	*Art Quarterly*, Detroit
Burl. Mag.	*The Burlington Magazine*, London
G.B-A	*Gazette des Beaux-Arts*, Paris
O-H	*Oud-Holland*, Nieuwe bijdrage voor de geschiedenis der Nederlandsche kunst, letterkunde, nijrerheid, enz., Amsterdam
Bauch 1933	K. Bauch, *Die Kunst des Jungen Rembrandt*, Heidelberg, 1933
Bauch 1960	K. Bauch, *Der frühe Rembrandt und seine zeit*, Berlin, 1960
Bauch 1966	K. Bauch, *Rembrandt: Gemälde*, Berlin, 1966
Bernt	W. Bernt, *Die Niederlandischen Maler des 17. Jahrhunderts*, München, 1948
B-HdG	W. Bode, C. Hofstede de Groot, *The Complete Works of Rembrandt*, Paris, 1887–1906
Bredius	A. Bredius, *The Painting of Rembrandt*, New York, 1936–37–42
Gerson	H. Gerson, *Rembrandt Paintings*, Amsterdam, 1968
H d G	Cornelis Hofstede de Groot, *A Catalogue Raisonné of the Works of the Most Eminent Dutch Painters of the Seventeenth Century*, London, 1908–1927
Hubbard 1956	R. H. Hubbard, *European Paintings in Canadian Collections—Earlier Schools*, Toronto, 1956
Hubbard 1961	R. H. Hubbard, *The National Gallery of Canada Catalogue of Paintings and Sculpture* I, *Older Schools*, Ottawa, 1961

Lilienfeld   K. Lilienfeld, *Arent de Gelder, Sein Leben und Seine Kunst*, Den Haag, 1914

Michel   E. Michel, *Rembrandt, His Life, His Works and His Time*, 3rd edition, London and New York, 1903

Moes   E. W. Moes, *Iconographia Batava*, Amsterdam, 1897–1905

von Moltke   J. W. von Moltke, *Govert Flinck*, Amsterdam, 1965

Pigler   A. Pigler, *Barockthemen, eine Auswahl von Verseichnissen zur Ikonographie des 17. und 18. Jahrhunderts*, Berlin, 1956

Pont   D. Pont, *Barent Fabritius*, Utrecht, 1958

Plietzsch   E. Plietzsch, *Hollandische und Flaemische Maler des XVII. Jahr.* Leipzig, 1960

Rosenberg   J. Rosenberg, *Rembrandt*, Cambridge, Mass. 1948

Rosenberg-Slive-ter Kuile   J. Rosenberg, S. Slive, E. H. ter Kuile, *Dutch Art and Architecture*, Harmondsworth, 1966 (Penguin Books).

Schneider   H. Schneider, *Jan Lievens, Sein Leben und seine Werke*, Haarlem, 1932

Sedelmeyer   C. Sedelmeyer, *Catalogue of One Hundred Paintings*, Paris, 1911

Smith   J. Smith, *Catalogue Raisonné of the Works of the Most Eminent Dutch Painters*, London, 1836

Thieme-Becker   U. Thieme and F. Becker, *Allgemeines Lexikon der bildenden Kunstler von der Antike bis zur Gegenwart*, Leipzig, 1907–50

Valentiner   W. R. Valentiner, *Rembrandt, des Meisters Gemälde* (Klassiker der Kunst), Stuttgart and Berlin, 1908

Valentiner 1923   W. R. Valentiner, *Rembrandt, Wiedergefundene Gemälde* (KdK, suppl.), Stuttgart, 1923.

Waagen   Dr. Waagen, *Treasures of Art in Great Britain*, London, 1–4, 1854–1857

Wurzbach   A. Wurzbach, *Niederlandisches Kunstler-Lexikon*, Vienna and Leipzig, 1910

Rembrandt, Detroit, 1930
     Paintings by Rembrandt, DIA, Detroit, 1930

Rembrandt, Amsterdam, 1932
     Rembrandt Tentoonstelling, Rijksmuseum, Amsterdam, 11 Juni–Sept. 1932

Rembrandt, Chicago, 1935–1936
     Paintings, Drawings and Etchings by Rembrandt, Chicago Art Institute, Dec. 19, 1935–Jan. 19, 1936

Rembrandt, Worcester, 1936
     Rembrandt and His Circle, Worcester Art Museum, Mass, Feb. 4–Mar. 1, 1936

Rembrandt, London, 1953
> *Rembrandt's Influence in the 17th Century*, The Matthiesen Gallery, London, Feb. 20–Apr. 2, 1953

Dutch Painting, New York—Toledo—Toronto, 1954–55
> *Dutch Painting, The Golden Age*, MMA, New York, Oct. 28–Dec. 19, 1954; AGT, Feb. 18–Mar. 25, 1955

Rembrandt, Leiden, 1956
> *Rembrandt Als Leermeester*, Stedelijk Museum, De Lakenhal, Leiden, 1 Juni–1 September, 1956

Rembrandt, Raleigh, 1956
> *Rembrandt and His Pupils*, NCMA, Raleigh, Nov. 16–Dec. 31, 1956

Rembrandt, Indianapolis—San Diego, 1958
> *The Young Rembrandt and His Times*, John Herron Museum of Art, Indianapolis, Ind., Feb. 14–Mar. 23, 1958;
> The Fine Arts Gallery, San Diego, Calif.; Apr. 11–May 18, 1958

Flinck, Kleve, 1965
> *Govert Flinck der Kleefsche Apelles 1616–1660, Gemälde und Zeichnungen*, Stadtisches Museum Haus Koekkoek, Kleve, Jul.–Sept., 1965

Rembrandt, San Francisco—Toledo—Boston, 1966–67
> *The Age of Rembrandt*, Palace of the Legion of Honor, San Francisco, Calif., Oct. 10–Nov. 13, 1966; Toledo Museum of Art, Nov. 26–Jan. 8, 1967; Museum of Fine Arts, Boston, Jan. 21–Mar. 5, 1967

Masterpieces from Montreal, 1966–67

> *Masterpieces from Montreal*, John and Mable Ringling Museum of Art, Sarasota, Florida, Jan. 10–Feb. 13, 1966, and the following/ également à:
> Albright-Knox Art Gallery, Buffalo, New York, March 15–Apr. 21, 1966; Rochester Memorial Art Gallery, Rochester, New York, May 6–June 25, 1966;
> NCMA, Raleigh, July 9–Aug. 21, 1966; Museum of Art, Philadelphia, Penna., Sept. 15–Oct. 23, 1966; Gallery of Fine Arts, Columbus, Ohio, Nov. 10–Dec. 26, 1966; Museum of Art, Carnegie Institute, Pittsburgh, Penn., Jan. 24–Mar. 5, 1967; Gallery of Modern Art, New York, Mar. 28–Apr. 30, 1967

Rembrandt, Leiden-Bolsward, 1968
> *Rondom Rembrandt*, Stedelijk Museum, De Lakenhal, Leiden, Apr. 11–Jun. 16, 1968, Bolsward, Jun. 29–Aug. 31, 1968

59

REMBRANDT
AND HIS PUPILS/ET SES ÉLÈVES

catalogue

Measurements given in inches; height precedes width in all cases.
All paintings are oil on canvas unless otherwise specified.
Les dimensions sont données en pouces; la hauteur précède la largeur dans tous les acs.
A moins qu'il en soit spécifé autrement, les tableaux sont des huiles sur toile.

REMBRANDT HARMENSZ. VAN RIJN
Leiden/Leyde 1606–1669 Amsterdam

1. *Esther's Feast   Le Festin d'Esther*
   53×65 (130×165 cm)
   c. 1625

   coll. Johannes de Renialme, Amsterdam, 1657; Jan Jacobsz. Hinlopen, Amsterdam, 1662; Joseph Flies, Berlin, 1786; Ksth: *B. Sommelinck*, Ghent/Gand sale/vente, *Fievez*, 16 déc., Bruxelles, 1936, No. 80 as/comme A. de Gelder (falsely signed/faussement signé Rembrandt 1632); *De Boer*, Amsterdam; after/après 1936; Charles A. *de Burlet* 1952, Basle; *Hans Schaeffer*, New York

   ex. Exhibition. N. V. Kunsth. de Boer, Amsterdam, 1937 (as/comme Rembrandt); Amsterdam, Rotterdam, Dec. 1937–Jan. 1938; Enschede, April 1938; *Rembrandt*, Raleigh, 1956, No. 1; *Masterpieces of Art*, NCMA, Raleigh, 1959, No. 68; *Figures at a Table*, John and Mabel Ringling Museum, Sarasota, 1960, No. 17 (C. Gilbert); *Youthful Works by Great Artists*, Allen Memorial Museum, Oberlin College, 1963, No. 11, ill.

   ref. F. Nicolai, *Beschreibung der Königlichen Residenzstädte Berlin und Potsdam*, Berlin, 1786, 2, p. 838; C. Hofstede de Groot, *Die Urkunden über Rembrandt*, Den Haag, 1906, Nos. 177, 247; *HdG*, 6, No. 46a; *Bredius 1936*, No. 631; W. Martin, "Uit Rembrandt's Leidsche Jaren," *Jaarboek van de Maatschappij der Nederlandsche Letterkunde te Leiden*, 1936–37, pp. 51–62; Die Maendblad von Werld de Konste, 19, 1937; J. G. van Gelder, "Een Nieuw Jeugdwerk van Rembrandt," *Elsevier's Geillustreerd Maandschrift* 93, 1937, pp. 353–355; letter, Bredius, Monaco, Feb. 1937 (as/comme Rembrandt 1625–30) K. Bauch, "Rembrandt und Lievens," *Jahrbuch des Wallraf-Richartz Museums*, 11, 1939, p. 240; *Rosenberg*, 1, p. 248; H. E. van Gelder, *Rembrandt schilder van De Nachtwacht* (Palet

Serie), Amsterdam, (1946), p. 59, p. 30, ill.; S. Slive, *Rembrandt and His Critics*, The Hague, 1953, p. 52; J. G. van Gelder, "Rembrandt's vroegste Ontwikkeling," *Mededelingen der Koninklijke Nederlandse Akademie van Wetenschappen, afd. Letterkunde*, N.R., 16, 5, 1953, pp. 281–282, fig. 9–10; G. Knuttel, "Rembrandt's Earliest Works," *Burl. Mag.*, 98, Feb. 1955, pp. 44–45; W. R. Valentiner, *Catalogue of Paintings*, NCMA, Raleigh, 1956, No. 65, ill.; H. Gerson, "Probleme der Rembrandtschule," *Kunstchronik*, 10, 5, May, 1957, p. 122; M. D. Hill, "Representations from the Old Testament in the Museum's Collection of Paintings," *NCMA Bulletin*, 2, Summer 1957, pp. 9–15, ill. p. 14; W. Sumowski, "Nachtrage zum Rembrandtjahr 1956," *Wissenschaftliche Zeitschrift der Humboldt—Universität zu Berlin*, 7, 2, 1957–58, p. 225, fig. 15 (as/comme Lievens?); A. Scharf "The Robinson Collection," *Burl. Mag.*, 100, Sept. 1958, p. 304; *Bauch 1960*, p. 112 ff, ill. pp. 112, 117 (x-ray); S. Slive, "The Young Rembrandt," *Bulletin*, Allen Memorial Art Museum, 20, 3, Spring, 1963, pp. 139–144, fig. 19; J. Rosenberg, *Rembrandt: Life and Work*, Greenwich, Conn. 1964, pp. 14, 345, 364; J. R. Judson, "Pictorial sources for Rembrandt's *Denial of St. Peter*," *Oud-Holland*, 3, 1964, p. 151, note 40; *Bauch 1966*, ill. No. A–1 (as/comme Lievens and/et Rembrandt), p. 29; M. Kahr "Rembrandt's Esther A Painting and an Etching Newly Interpreted and Dated," *O–H*, 81, 4, 1966, pp. 228–244 (Non Rembrandt); K. Bauch, "Zum Werk des Jan Lievens, I," *Pantheon* 3, May–June, 1967, p. 162 ff. ill. fig. 1 (as/comme Lievens and/et Rembrandt); C. W. Stanford, *Masterpieces in the North Carolina Museum of Art*, NCMA, Raleigh, 1966, pp. 52–53, ill.; *Gerson*, p. 22, fig. 2 (as/comme Lievens)

North Carolina Museum of Art, Raleigh

REMBRANDT VAN RIJN
2. *Three Musicians (Hearing)   Trois Musiciens (L'Ouïe)*
pan. 12½×9¾ (32×25,2 cm)
c. 1624–25

coll. Dr. C. J. K. van Aalst, Hoevelaken; N. J. van Aalst, Hoevelaken

ex. *Rembrandt*, Leiden, 1956, No. 2

ref. Catalogue cited above/Catalogue de l'exposition citée; V. Bloch, "Zum Frühen Rembrandt," *O-H*, 50, 1933, p. 95, ill. No. 4; O. Benesch, *Rembrandt, Werk und Forschung*, Wien, 1935, p. 2; *Bredius 1937*, No. 421; J. W. von Moltke, *Dutch and Flemish Masters in the Collection of Dr. C. J. K. van Aalst*, 1939, p. 330, pl. 78; O. Benesch, "Early Group Portrait Drawings by Rembrandt," *AQ*, 3, 1, Winter 1940, p. 10, ill. p. 8; *Bauch 1960*, pp. 227–228, ill. 191 (as pupil, possibly early Dou/par un élève, peut-être le jeune Dou), *Cramer Catalogue* XIV, 1968, No. 13, ill.; *Rembrandt*, Leiden-Bolsward, 1968, p. 27

G. Cramer, Oude Kunst, Den Haag

REMBRANDT VAN RIJN
3. *The Operation (Touch)   L'Opération (Le Toucher)*
pan. 12½×9¾ (32×25 cm)
c. 1624–25

coll. Dr. C. J. K. van Aalst, Hoevelaken; N. J. van Aalst, Hoevelaken

ex. *Rembrandt*, Leiden 1956, No. 3

ref. Catalogue cited above/Catalogue de l'exposition citée; J. W. von Moltke, *Dutch and Flemish Old Masters in the Collection of Dr. C. J. K. van Aalst*, 1939, p. 226, p. 330, pl. 78; O. Benesch, "Early Group Portrait Drawings by Rembrandt," *AQ*, 3, 1, Winter 1940, p. 10, ill. p. 7; *Bauch 1960*, pp. 227–228, ill. 192 (as pupil, possibly early Dou/par un élève peut-être le jeune Dou), *Cramer Catalogue* XIV, 1968, No. 12, ill. *Rembrandt*, Leiden Bolsward, 1968, p. 27

G. Cramer, Oude Kunst, Den Haag

REMBRANDT VAN RIJN
4. *The Flight into Egypt   La Fuite en Egypte*
pan. $10\frac{1}{2}\times9\frac{1}{2}$ $(26,4\times24,2$ cm)
mono. d. *RH 1627*, l.r./b.d.

coll. Madame Benjamin Chaussemiche, before/avant 1950

ex. *Rembrandt*, Nationalmuseum, Stockholm, 1956, No. 1; *Rembrandt*, Leiden, 1956, No. 1; *Chefs-d'oeuvre du musée de Tours*, Palais Lobkowitz, Wien, 1957, No. 19

ref. Catalogues cited above/Catalogues des expositions citées; O. Benesch, "An Unknown Rembrandt Painting of the Leiden Period," *Burl. Mag.* 96, May 1954, pp. 134–135, fig. 1; B. Lossky, "Un nouveau Rembrandt au musée de Tours," *Arts*, 552, 25 janv. 1956; B. Lossky, "*La Fuite en Egypte* du Musée des Beaux-Arts est identifiée comme le premier tableau connu de Rembrandt," *Tours-France, La Revue du Val de Loire*, 17, fév.-mars, 1956, Tours, pp. 7–8, ill.; *Bauch 1960*, p. 124, ill. No. 86; J. M Girard, "Sur quelques signatures et dates relevées au musée de Tours et en divers musées de France," *La Revue du Louvre*, 1, 1965, pp. 25–26, fig. 2; *Bauch 1966*, No. 43; T. Copplestone, *Rembrandt*, London, 1967, p. 37, ill. pl. 31 (as/de 1625); *Gerson*, p. 176, ill., No. 8, p. 488

Musée des Beaux-Arts de Tours, Tours

REMBRANDT VAN RIJN
5. *Self Portrait   Autoportrait*
pan. $8\frac{7}{8}\times7\frac{1}{2}$ $(22,5\times19$ cm)
c. 1628–29

coll. Dr. Alexander Patterson, Glasgow; James R. Mackay, Glasgow; Mrs. Mary A. Winter, Bearsden, Dunbartonshire

ex. *De Schilder in zijn Wereld*, Stedelijk Museum "Het Prinsenhof," Delft, Dec. 19, 1964—Jan. 24, 1965; Koninklijk Museum voor Schone Kunsten, Antwerpen, Feb. 6, 1965–Mar. 14, 1965, No. 93, ill.; *Rembrandt*, Leiden, 1968, No. 35, ill. p. 24

ref. Catalogues cited above/Catalogue des expositions citées *Bauch 1960*, pp. 174–175, ill. p. 178, No. 157; K. Bauch, "Ein Selbstbildnis des frühen Rembrandt," *Wallraf-Richartz-Jahrbuch*, 24, 1962, pp. 321, 322; S. Slive, "The Young Rembrandt," *Oberlin College Bulletin*, Allen Memorial Art Museum, 20, 1963, 3, p. 149 Note 20; *Bauch 1966*, p. 16, ill. No. 287; *Rosenberg-Slive-ter Kuile*, p. 267, note 4; F. Erpel, *Die Selbstbildnisse Rembrandts*, Berlin, 1967, p. 141, No. 8, ill. 6; *Gerson*, pp. 489, 490 (as copy/comme copie); R. Haak, *Rembrandt zijn leven, zijn werk, zijn fijd*, p. 34, p. 35, ill.

Daan Cevat, Worthing, Sussex

REMBRANDT VAN RIJN
6. *Bellona*
$50\times38\frac{3}{8}$ $(122\times96$ cm)
s.d. *Rembrandt, 1633*, l.l./b.g.

coll. Duke of Buckingham, sale/vente, Christie, Manson and Woods, Stowe House, Aug. 15–Oct. 7, 1848, p. 193, No. 424, Roe; W. W. Pearce, London, 1872; Comte de l'Espine, Bruxelles; Baron de Beurnonville, Paris; Charles Sedelmayer, Paris; Sir George Donaldson, London; Michael Friedsam, New York

ex. AGT, Toronto, 1949; Dayton, Ohio, 1950; DIA, Detroit, 1951; *Rembrandt*, AGT, Toronto, 1951; St. Louis, 1952; Seattle, 1952; Brooklyn Museum, 1954; Wadsworth Atheneum, 1954; Newark Museum, 1956; University of Virginia, 1956; *Rembrandt*, Indianapolis-San Diego, 1958, No. 7, ill.

ref. Catalogues cited above/Catalogues des expositions citées; *B-HdG*, 8, p. 106, No. 569; *Valentiner*, p. 153; *Sedelmayer*, 8, No. 32; *HdG*, 6, No. 196; B. Burroughs and H. B. Wehle, "The Friedsam collection: paintings", *MMA Bulletin*, 27, 2, Nov. 1932, pp. 46, 48; J. L. Allen, "The Museum's Rembrandts", *MMA Bulletin*, N.S., 4, Nov. 1945, p. 74; T. Rousseau Jr. and M. Pease, "Report on an early Rembrandt", *MMA Bulletin*, N.S., 6,

Oct. 1947, pp. 49–53, ill. p. 51; *Bauch 1966*, No. 257, ill.; K. Clark, *Rembrandt and the Italian Renaissance*, London, 1966, p. 138, fig. 129

The Metropolitan Museum of Art, The Michael Friedsam Collection—1931, New York

REMBRANDT VAN RIJN

7. *Young Man with a Sword   Le Jeune Homme à l'Epée*
    46½×38⅛ (118×97 cm)
    s.d. *Rembrandt 1635* (1633?) u.p./h.d.

coll. Major A. Hicks Beach, England, 1912; W. G. Hicks Beach, England; Private Collection, Holland; Mrs. Hertogs, Arnhem; *Katz*, Dierens, 1933; *Schaeffer Galleries*, New York, 1956; Samuel H. Kress Collection, 1957

ex. RA, London, 1912, No. 81; *Rembrandt*, Raleigh, 1956, No. 7, ill.; *Rembrandt*, Indianapolis-San Diego, 1958, No. 8, ill.; *Art Treasures for America from the Samuel H. Kress Collection*, National Gallery of Art, Washington, Dec. 10, 1961–Jan. 21, 1962, No. 77

ref. Catalogues cited above/Catalogues des expositions citées; Å. Graves, *A Century of Loan Exhibitions*, London, 3, 1913–15, p. 1017; *Catalogue, Lord Aberdare and other collections sale*, June 3, 1933, p. 13, No. 62; *Art N*, 32, Nov. 25, 1933, p. 13, ill.; E. P Richardson, "The Young Rembrandt and His Times, in Indianapolis", *AQ*, 21, Autumn 1958, p. 288; G. Emerson, "The Kress Collection: A Gift to the Nation", *National Geographic*, 120, 6, Dec. 1961, p. 831, ill.; M. Vaughan, "Kress Gift to North Carolina", *The Connoisseur*, 147, 593, May 1961, American edit., pp. 224–25, ill.; *The Samuel H. Kress Collection*, NCMA, Raleigh, 1960 and 1965, pp. 138–39, ill.; C. W. Stanford *Masterpieces in the North Carolina Museum of Art*, Raleigh, 1966, pp. 54–55, ill.; *von Moltke*, p. 248, No. 108, ill.; as wrongly attributed to Flinck/comme faussement attribué à Flinck dans cet ouvrage

North Carolina Museum of Art, Raleigh. Gift of/don de. The Samuel H. Kress Foundation, New York

REMBRANDT VAN RIJN

8. *Syndic of Amsterdam   Portrait d'un Syndic d'Amsterdam*
    30½×25½ (77,5×64,8 cm)
    s.d. *Rembrandt f. 1635*, l.r./b.d.

coll. Carignan, Prince de Monaco, Duc de Valentinois, 1765; John Smith, London, 1824; Comte de Pourtales, Paris, 1825; The Lords Ashburton, The Grange, Hampshire, 1836–1907; *A. Sulley and Co.*, London, 1908–10; Charles Sedelmeyer, Paris, 1911; C. Von Hollitscher, Berlin, 1912–1922; C. Castiglione, Vienna, 1922–25; Lord Duveen of Millbank, London, 1925/39; *Duveen Brothers*, Inc., New York, 1939–59

ex. *Old Masters*, RA, London, 1890, No. 97; Berlin Gallery, 1914, No. 129; *Philadelphia Sesqui-Centennial International Exposition*, 1926; *Old and Modern Masters*, DIA, Detroit, 1927, No. 46, ill. p. 55; *Rembrandt*, Detroit, 1930, No. 24; *Masterpieces of Three Centuries*, Wilmington Society of Fine Arts, Wilmington, Del., 1931, No. 30; *Rembrandt*, Amsterdam, 1935, p. 45, No. 6, ill.; *Masterpieces of Dutch Art*, Grand Rapids Art Gallery, 1940, No. 64; *Great Dutch Masters*, Art Institute of Chicago, 1942, p. 44, No. 25, ill. p. 93; *Great Dutch Masters*, Duveen Galleries, New York, 1942, p. 63, No. 43, ill. p. 135; *Seventeenth Century Dutch Masterpieces*, MAI, Milwaukee, 1943, No. 27, ill.; *Rembrandt*, Raleigh, 1956, p. 19, No. 10, ill.; *Rembrandt*, Indianapolis-San Diego, 1958, No. 11, ill; *Indiana Collects*, John Herron Art Museum, Indianapolis, Oct. 9–Nov. 6, 1960, No. 21, ill., frontispiece

ref. Catalogues cited above/Catalogues des expositions citées; Prestage, *Catalogue of the Noble Collection of Pictures from the Grand Cabinets of Cardinal Mazarin and Prince Carignan, Duc de Valentinois*, Feb. 26–28, 1765, p. 4, No. 63; *Smith*, 7, No. 304; W. von Bode, *Studien zur Geschichte der Holländischen Malerei*, Braunschweig, 1883, pp. 531, 585, No. 195; E. Dutuit, *L'Oeuvre Complet de Rembrandt*, Paris, 1880, p. 42; E. Dutuit

Tableaux et Dessins de Rembrandt, Paris, 1885, p. 62, No. 277; A. von Wurzbach, *Rembrandt Gallerie*, Stuttgart, 1886, No. 149; *Michel*, 2, p. 234; *B-HdG*, 2, pp. 9, 88, No. 104, ill.; *Valentiner*, pp. 95, 552, 570, ill. p. 95; *Sedelmeyer*, 11, No. 29, ill.; Bode-Friedlander, *Die Gemälde-Sammlung des Herrn C. V. Hollitscher*, Berlin, 1912, No. 59; *HdG*, 6, p. 343, No. 730; Meldrum, D. Storrar, *Rembrandt's Paintings with an Essay on His Life and Work*, 1923, No. 112; *Camillo Castiglione de Vienne, Catalogue des Tableaux*, 1925, No. 71, ill.; "The Castiglione Collection Sale," *Cicerone*, 1925, p. 1064; W. R. Valentiner, *Rembrandt Paintings in America*, New York, 1931, No. 55, ill.; *Bredius*, No. 201, ill.; D. C. Rich, "Rembrandt Remains", *Parnassus*, Oct. 1935, p. 4; "Dutch Art in New Holland", *Art N*, May 25, 1940, p. 9, ill.; *Art N.*, Annual, 57, 7, Nov. 1958, Sect. II, p. 24, ill.; R. F. C., "Il giovane Rembrandt e il suo tempo", *Emporium* (Bergamo, Italy), Mar. 1959, Anno LXV, No. 3, CXXIX, N.771, p. 120; R. G. Saisselin, *Style, Truth and the Portrait*, The Cleveland Museum of Art, 1963; *Bauch 1966*, No. 375, ill.; *Gerson*, p. 294, ill., No. 180, p. 495

Earl C. Townsend, Jr., Indianapolis

REMBRANDT VAN RIJN

9. *Esther Preparing to Intercede with Ahasueras*
   Esther se préparant à intercéder auprès d'Aussuérus
   43×37 (109,2×94 cm)
   s.d. *Rembrandt f. 1637*, l.r./b.d.
   with the number 7 on top of the 2/avec

coll. Mme Bandeville, Paris sale/vente 3–10 déc. 1787, No. 14; Lord Rendlesham, London, sale/vente, June 20, 1806, No. 47; Earl of Mulgrave, London, sale/vente, May 12, 1832, No. 45; Sir William Knighton, London, sale/vente, May 21–23, 1885, No. 485; Sir Charles Robinson, 1891; Charles Sedelmeyer, Paris, 1898; Prince of Liechtenstein, Vaduz

ex. BI, London, 1818, No. 35; *Sammlung Liechtenstein*, Lucerne, Kunstmuseum, 1948, No. 106, ill.; *European Masters*, AGT, Toronto, 1954, No. 14, ill.; *Rembrandt*, Rijksmuseum, Amsterdam, 1956, No. 21, ill.; *Rembrandt to Van Gogh*, VAG, Vancouver, Sept. 17–Oct. 13, 1957, No. 6, ill.

ref. Catalogues cited above/Catalogues des expositions citées; *Smith*, 7, p. 159, No. 494; Dutuit, *Tableaux et dessins de Rembrandt*, Paris, 1885, p. 64; *Michel*, 1, p. 169–60, ill.; 2, p. 232; *BHdG*, 1, p. 172, No. 69; *Valentiner*, p. 107; *HdG*, p. 51, No. 311; Kaufmann, *Jahrbuch der preussischen Kunstsammlungen*, 41, 1920, p. 76; C. Hofstede de groot, "Rembrandt's Bijbelsche en historische voorstellingen", *Oud-Holland*, 41, 1923–24, p. 57; Baudissin, Repertorium für *Kunstwissenschaft*, 45, 1925, 148; *Bredius*, No. 494; E. V. Strohmer, *Die Gemälde galerie des Fursten Liechtenstein*, Wien, 1943, p. 100, pl. 58; *Rosenberg*, 1, 1948, p. 247; "Recent Acquisit.", *Canadian Art*, 11, 1954, ill. p. 64; "Acc. of Americ. & Can. Mus.", *AQ*, 16, 3, Autumn, 1953, p. 252, ill. p. 255; C. Brière-Misme, "La Dance de Rembrandt et son véritable sujet", *G B-A*, 43, 1954, p. 67; Hubbard, 1, pp. 85, 151, pl. 41; Hubbard, *NGC Catalogue*, 1, 1957, p. 89, ill.; M. Kahr, "Rembrandt's Esther; A Painting and an Etching Newly Interpreted and Dated", *O-H*, 81, 1966, pp. 228244; *Bauch 1966*, No. 9, ill.; V. Blom, *Maîtres Flamands, Hollandais et allemande à la Galerie nationale du Canada*, Ottawa, 1966, No. 17; *Gerson*, pp. 212, 213, ill., No. 58, p. 490 (as/comme 1632–33).

The National Gallery of Canada/La Galerie nationale du Canada, Ottawa

REMBRANDT VAN RIJN

10. *Self Portrait   Autoportrait*
    35×29 (89×73,6 cm)

coll. Probably Charles I's collection; given by him to Lord Ancrum, in the Royal inventory of about 1639 (No. 87)/probablement dans la collection de Charles I qui l'offre à Lord Ancrum dans l'inventaire royal de 1639 (No. 87); James II's collection (Dr. C. Hofstede de Groot thinks that the Royal picture is more likely to be the one in the Louvre/C. Hofstede de Groot est enclin à croire que le tableau de la collection royale est plutôt celui du Louvre); Duke of Bedford, bought at/acheté à,Mr. Bragge's sale,May, 1748, No. 56

ex. *Paintings from the collection of the Duke of Bedford*, National Gallery of Scotland, Edinburgh, (Arts Council Exhibition), 1950, No. 14; *Paintings and Silver from Woburn Abbey*, RA, London (Arts Council Exhibition), 1950, No. 76; *Winter Exhibition, Dutch Pictures, 1450–1750*, RA, London, 1952–53, p. 39. No. 171; Portland Art Museum, Jan.–Feb., 1961, No. 19, ill.; VAG, Vancouver, Feb., 1961, No. 19, ill.; M. H. de Young Memorial Museum, Calif.,Mar.–Apr., 1961, No. 19 ill.

ref. Catalogues cited above/Catalogues des expositions citées; W. Bathoc, *Catalogue of James II's collection*, 1758, p. 12, No. 129 (but not No. 130 of original catalogue/et non pas le No. 130 du catalogue original); *Smith*, 7, p. 87, No. 214; Waagen, 3, p. 465, (1857, 4, p. 335); W. Bode, *Studien zur Geschichte der Holländischen Malerei*, Braunschweig, 1883, No. 266, pp. 411, 593; Dutuit, *L'Oeuvre Complet de Rembrandt*, Paris, 1881–1885, 3, No. 143, p. 43; A. von Wurzbach, *Rembrandt Gallerie*, 1886, No. 154; *B-HdG*, No. 255; *Michel*, p. 432 (1893, p. 559); C. Vosmaer, *Rembrandt, sa vie et ses oeuvres*, La Haye, 1877, p. 523; Moes, No. 6693, 38; *Valentiner*, p. 245, ill., *HdG*, 6, p. 286, No. 585; H. Walpole, "*Journal of Visits to Country Seats*," The Walpole Society, 16, No. CXLVII 1927–28, p. 18; *Bredius*, No. 33, ill.; *Hubbard 1961*, p. 88; H. E. van Gelder, *Rembrandt en zijn portret (Palet Serie)*, Amsterdam, 1946, p. 37, p. 32, ill.; R. Strong, "Rembrandt and English Art," *Journal of the Royal Society of Arts*, 116, Oct., 1968, p. 906–923 (reprinted/réimprimé, *Art and Artists*, 3, No. 7, Oct., 1968, p. 19); *Gerson*, p. 497 (non-Rembrandt)

The Trustees of the Bedford Settled Estates and His Grace the Duke of Bedford

REMBRANDT VAN RIJN

11. *Portrait of a Lady with a Handkerchief   Portrait d'une Dame tenant un Mouchoir*
$49 \times 39\frac{1}{2}$ (124,5×100,3 cm)
s.d. *Rembrandt f. 1644* b.l./b.g.

coll. M. L. B. Coclers, Amsterdam, 1811, vente/sale, Aug. 7, 1811, No. 64; Cardinal Fesch, Rome, 1845, vente/sale,March 17, 1845, No. 192; Sir G. L. Holford, Dorchester House, London, 1928; vente/sale, *Christie's*, May 17, 18, 1928, No. 35

ex. BI, London, 1851, No. 80; BI, London, 1862, No. 51; *Winter Exhibition*, RA, London, 1893, No. 75; The Guildhall Art Gallery, London, 1894, No. 65; *Rembrandt Tentoonstelling*, Amsterdam, 1898, No. 64; RA, London 1899, No. 69; *Exposition hollandaise*, Paris, 1921, No. 41; Burlington Fine Arts Club, London, 1921–22, No. 32; *Loan Exhibition of Paintings*, AGT, Toronto, Nov. 1935, No. 18, p. 9, ill. p. 12; *Rembrandt*, Detroit, 1930, No. 45, ill.; *Rembrandt*, AGT, Toronto, Jan.–March, 1952, No. 6; *Dutch Painting*, New York-Toledo-Toronto, 1954–55, No. 64, ill. (shown only in Toronto/à Toronto seulement); *Treasures from the Art Gallery of Toronto*, VAG, Vancouver, Feb. 3–Mar. 27, 1966

ref. Catalogues cited above/Catalogues des expositions citées; *Smith*, No. 557; *Waagen*, p. 200; Rembrandt 2, C. Vosmaer, *Rembrandt, sa Vie et ses Oeuvres*, 2 éd., La Haye & Paris, 1877, pp. 261, 536; Dutuit, *l'Oeuvre Complet de Rembrandt*, Paris, Levy, 1881–85, pp. 45, 57; *B-HdG*, 4, p. 291; *Michel*, cat. p. 432, "Portrait of an Old Lady" (The Wife of Sylvius?); *Wurzbach*, No. 481; *Valentiner*, ill. p. 340, "Portrait of the Preacher's Wife"; *HdG*, 6, No. 861, p. 394, "A Lady with a Handkerchief in her Left Hand"; *The Holford Collection, Westonbirt*, London, 1924, pl. 81; *Bauch, 1966*, No. 506, ill. p. 26; H. Vey, A. Kesting, *Katalog der Niederländischen Gemälde von 1550 bis 1800 im Wallraf-Richartz-Museum und im öffentlichen Besitz der Stadtköln*, Köln, 1967, p. 87; *Gerson*, p. 343, ill., No. 249, p. 498

Art Gallery of Ontario, Toronto

REMBRANDT VAN RIJN

12. *Landscape with Cottages   Paysage aux Chaumières*
pan. 10×15½ (25,4×39,3 cm)
s.d. *Rembrandt f. 1654* l.l./b.g.

coll. Charles Jennens, Gapsall, England, c. 1760; The Earls Howe, Gapsall; Sir G. Donaldson, London, 1908; *A. Sulley and Co.*, London; *F. Kleinberger*, Paris; Swaab, The Hague; Sir William Van Horne, Montreal

ex. BI, London, 1858, No. 118 or 120; *Van Horne Collection*, AAM, Montreal, 1933, No. 39; National Gallery, Ottawa, 1949; *A Loan Exhibition of Rembrandt*, Wildenstein & Co. Inc., New York, 1950; *Rembrandt*, AGO, Toronto, 1951; *Six Centuries of Landscape Painting*, MMFA/MBAM, Montreal, 1952; *Rembrandt*, Rijksmuseum, Amsterdam, May 18–Aug. 5, 1956, Museum Boymans, Rotterdam, Aug. 8–Oct. 21, 1956, No. 66, ill., p. 137 (Landschap bij avond); J. Steegman, *Catalogue of Paintings*, MMFA, 1960, No. 910; *Canada Collects European Paintings/Le Canada collectionne la peinture européenne*, MMFA/MBAM, Montréal, Jan. 19–Feb. 21, No. 75; *Rembrandt*, San Francisco-Toledo-Boston, 1966–67, No. 41, p. 78, ill. (*The Farm*)

ref. Catalogues cited above/Catalogues des expositions citées; *London & Its Environs Described*, 1761; M. Eisler, *Rembrandt as Landscape Painter*, 1908, p. 227; C. Hofstede de Groot, "Nieuw-Ontdekte Rembrandts," *Onze Kunst*, No. 1909, p. 10, ill. pl. 8; A. L. Mayer, *Der Cicerone*, Jan. 1916; *HdG*, 6, p. 433, No. 950 (as/comme *Landscape with a Wooden Bridge*); F. Lugt, *Mit Rembrandt in Amsterdam*, Berlin, 1920, p. 121, fig. 73; A. M. Hind, *Catalogue of Rembrandt Etchings*, London, 1923, *Valentiner 1923*, No. 80, ill. p. 75

Jahrbuch der Preussischen Kunstsammlungen, 52, 1931, p. 60; *Bredius 1936*, No. 453, ill., note p. 18; M. Breuning, "Rembrandt's Long Shadow Glows at Wildenstein's," *Art D*, Feb. 1, 1950; C. Picher, "Hommage à Rembrandt," *Vie des Arts*, nov.-déc. 1956, p. 29; MMFA/MBAM, *Handbook/Recueil*, 1960, p. 64; J. Steegman, *Catalogue of Paintings*, MMFA/MBAM, Montreal, 1960, p. 99, No. 910; *Le Fournisseur*, 27, 7, Oct. 1961, p. 32, ill.; *La Revue Française*, 146 a, nov. 1962, ill. p. 33; W. Stechow, *Dutch Landscape of the Seventeenth Century*, National Gallery of Art, Kress Foundation Studies in the History of European Art, London, 1966, p. 28, fig. 36; *Bauch 1966*, No. 555, ill. p. 28; *Catalogue of the Nowell-Usticke Collection of Rembrandt Etchings*, Parke-Bernet Galleries Inc., New York, Oct. 31–Nov. 1, 1967, 1, p. 61; *Gerson*, pp. 408, 409, ill., No. 345 (Evening Landscape with Cottages), p. 501

MMFA/MBAM, Bequest/legs, Adaline Van Horne, 1945

REMBRANDT VAN RIJN

12a. *Clump of Trees with a Vista   Bouquet d'Arbres dans une Clairière*
drypoint/pointe sèche
H. 253
s.d. *Rembrandt f. 1652* l.r./b.d.

coll. Harvey D. Parker

Museum of Fine Arts, Boston. Harvey D. Parker Collection

REMBRANDT VAN RIJN

13. *Portrait of a Man in a Fur Lined Coat   Portrait d'un Homme portant une Pelisse*
44×33½ (114×87 cm)
s.d. *Rembrandt f. 1655*, l.l./b.g.

coll. Marquis de Beausset; A. Allard, Brussels; Prosper Crabbe, Brussels; James Ross, Montreal; *Christie's*, London, July 8, 1927, No. 16; *Thomas Agnew & Sons*, London

ex. *Dutch Masters*, AAM, Montreal, 1906, No. 2; *Hudson-Fulton Celebration*, MMA, New York, 1909, No. 99; *Loan Collection of Paintings by Old Masters*, Doll and Richards, Boston, Oct. 26–Nov. 8, 1927, No. 10; *Fuller Collection*, Boston Art Club, 1928, No. 20; *Dutch Art*, RA, London, 1929, No. 89, ill.; *Rembrandt*, Detroit, 1930, No. 75; *Rembrandt*,

Worcester Art Museum, 1935, No. 9; *Private Collections in New England*, BMFA, Boston, 1939, No. 99; *Memorial Exhibition of the Collection of the Hon. Alvan T. Fuller*, BMFA, Boston, 1959, No. 3; *Canada Collects: European Paintings/Le Canada collectionne: Peinture européenne*, MMFA/MBAM, Jan. 19–Feb. 21, 1960, p. 32, ill., No. 80; *The Seventeenth Century, Pictures by European Masters*, Thomas Agnew & Sons, Ltd., London, Jun. 21–Jul. 23, p. 14, 1960, No. 21, ill. (loan); *Rembrandt*, San Francisco-Toledo-Boston, 1966–67, No. 39, ill.

ref. Catalogues cited above/Catalogues des expositions citées; E. Dutuit, *Tableaux et Dessins de Rembrandt*, Paris, 1885, p. 50; *B-HdG*, 6, No. 448; *Michel*, pp. 451, 561; *Valentiner*, No. 433; *Wurzbach*, 2, p. 405; *HdG*, 6, No. 750; R. Fry, "At the Dutch Exhibition," *Burl. Mag.*, Feb. 1929, p. 66, pl. 5b; "Detroit Museum Opens Rembrandt Loan Exhibition," *Art N*, Apr. 26, 1930, ill. cover/couverture; W. R. Valentiner, "Rediscovered Rembrandt Paintings," *Burl. Mag.*, 57, Dec. 1930, p. 226, note 1; W. Heil, "Rembrandt-Austellung in Detroit," *Pantheon*, Aug. 1930, p. 383; A. M. Hind, *Rembrandt*, Cambridge, Mass., 1932, pp. 17, 89, ill. pl. LXV; *Bredius 1936*, No. 278; *Bauch 1966*, No. 409; G. Agnew, *Agnew's 1817–1967*, London, 1967, n.p., ill.; *Gerson*, p. 390, ill., No. 316, p. 501.

Trustees of the Fuller Foundation, Boston

REMBRANDT VAN RIJN
14. *Lamentation*
71×78¼ (180,3×198,7 cm)
s.d. *Rembrandt f. 1660* b.c./b.c.

coll. Marquess of Abercorn, 1836; Duke of Abercorn, Baron's Court, Ireland, 1899; *Forbes and Patterson*, London; Comtesse de Bearn (later/ensuite, Marquise de Behague), Paris.

ex. BI, London, 1835, No. 115; Irish National Gallery, Dublin; *Winter Exhibition*, RA, London, 1876, No. 153; BI, London, 1899, No. 94; *Rembrandt*, Detroit, 1930, No. 53; *Masterpieces of Art*, New York World's Fair, 1940, No. 84, p. 64; *Rembrandt*, Raleigh, 1956, No. 19; *Six Great Painters*, MAI, Milwaukee, 1957

ref. Catalogues cited above/Catalogues des expositions citées; *Smith*, 7, No. 95, *B-HdG*, No. 337; *Valentiner*, p. 533; *HdG*, p. 105, No. 137; W. R. Valentiner, *Rembrandt Paintings in America*, New York, 1932, No. 103; *Bredius 1936*, p. 582; A. M. Frankfurter, "383 Masterpieces of Art . . .," *Art N*, 38, Annual, 1940, p. 31, ill. p. 27; T. Borenius, *Rembrandt Selected Paintings*, London, and New York, 1942, p. 13, fig. 16; W. Suida, *Catalogue of Paintings in the John and Mable Ringling Museum of Art*, 1949, No. 252

John and Mable Ringling Museum of Art, Sarasota

REMBRANDT VAN RIJN
15. *Titus, The Artist's Son   Titus, le Fils de l'Artiste*
32×27 (78,5×67 cm)
s.d. *Rembrandt 1660*, on chair back to the right/sur le dessus de la chaise, à droite

coll. Duke of Rutland, K.G., Belvoir Castle, England; James Stillman, New York; C. C. Stillman, New York; *Duveen Brothers*, New York

ex. RA, London, 1899, No. 97; MMA, New York, 1921–26; *Loan exhibition of Rembrandt*, Wildenstein & Co. Inc., New York, Jan. 1950; Wilmington Society of the Fine Arts, Del., May–June, 1951; *Man & His Years*, BMA, Baltimore, Oct. 19–Nov. 21, 1954, No. 82, ill. p. 15

ref. *HdG*, 6, No. 707; *Bredius 1937*, No. 124; *Rosenberg*, 1, p. 27; *A Picture Book*, BMA, Baltimore, 1955; E. Spaeth, *American Art Museums & Galleries: An Introduction to Looking*, New York, 1960; *Bauch 1966*, No. 430, ill.; *B-HdG*, 6, p. 18, pl. 446; A. Werner, "Up and Down Mad Avenue," *Arts Mag.*, 41, 3, Jan. 67, p. 8; K. R. Greenfield, "The Museum, Its First Half Century," *Annual* 1, BMA, 1966, p. 23

The Baltimore Museum of Art Bequest/legs, Mary Frick Jacobs

REMBRANDT VAN RIJN

16. *Portrait of a Lady with a Lap Dog*   *Portrait d'une Dame tenant un petit Chien*
32×25¼ (80×62 cm)
c. 1665

coll. Jan van Beuningen, Amsterdam, sale/vente, Amsterdam, May 13, 1716, No. 42;
Henri Lebert, Colmar, Alsace-Lorraine, 1842; Colmar, Civic Museum, 1842–1917,
No. 211; Klas Fahraeus, Lidingon, Sweden, 1917; *AB C. E. Fritzes Kungl, Hovbokhandel*,
Stockholm, Sweden, 1919; *H. Reinhardt & Son; M. Knoedler & Co.*, New York, 1919;
Frank P. Wood, Toronto, 1919–1955

ex. Kaiser Friedrich Museum, Berlin, 1899; Koninklijk Kabinet van Schilderijen Mauritshuis,
Den Haag, 1900; *Loan Collection of Paintings Contributed by Private Collectors*, AGT,
Toronto, 1920, No. 116; *Inaugural Exhibition*, AGT, Toronto, 1926, No. 152, ill.; *Loan
Collection of Paintings by Old Masters*, AGT, Toronto, 1929, No. 12, p. 27, ill.; *Rembrandt*,
Detroit, 1930, No. 72, ill.; *Paintings by the Great Dutch Masters of the Seventeenth
Century*, Duveen Galleries, New York, 1942, No. 53, p. 145, ill.; *Loan Exhibition of Great
Paintings in Aid of Allied Merchant Seamen*, AGT, Toronto, 1944, No. 53 (quotes
Valentiner, "very probably the companion piece to the *Portrait of a Young Man*, in the
collection of D. Gutekunst in London, which is signed and dated 1622"/selon Valentiner,
"très probablement le pendant du *Portrait d'un Jeune Homme* de la collection de D. Gute-
kunst, à Londres, signé et daté 1662"; *Five Centuries of Dutch Art*, AAM, Montreal, 1944,
No. 46; *Loan Exhibition of Rembrandt*, Wildenstein & Co. Inc., New York, 1950, No. 27,
ill., cover/couverture; *Rembrandt*, AGT, Toronto, 1951, No. 14; *Dutch Painting*, New
York-Toledo-Toronto, 1954–55, No. 67, ill.; *Old Masters*, Art Gallery of Hamilton, 1958,
No. 23; *Treasures in America*, Virginia Museum of Fine Arts, Richmond, Va., 1961, p. 64,
ill.

ref. Catalogues cited above/Catalogues des expositions citées; Schongauer-Gesellschaft,
Bericht über ein Rembrandt-zugeschriebendes Gemälde im Colmarer Museum, Colmar,
1900; *B-HdG*, 7, p. 44, pl. 491, ill.; *Valentiner*, 2, p. 481, ill; *HdG*, 6, p. 389, No. 852;
W. R. Valentiner, "Important Rembrandts in American Collections," *Art N*, 28, April 26,
1930, p. 4, ill.; W. R. Valentiner, *Rembrandt Paintings in America*, New York, 1932,
No. 158; *Bredius 1936*, p. 398; F. Landsberger (trad. F. N. Gerson), *Rembrandt the Jews
and the Bible*, Philadelphia, 1946, p. 70, ill. pl. 22; T. Borenius, *Rembrandt, Selected
Paintings*, London and New York, 1944, p. 36, ill. pl. 100; *Rosenberg*, 1, p. 246;
M. Breuning, "Rembrandt's Long Shadow Glows at Wildenstein's," *Art D*, 24, 9, Feb. 1,
1950, p. 7; *Hubbard*, 1, p. 89, ill. pl. 43; L. Goldscheider, *Rembrandt Paintings, Drawings,
and Etchings*, London, 1960, ill. pl. 122; VAG, "Masterpiece of the Month," *VAG
Bulletin*, Vancouver, 30, Nov.–Dec., 1963, ill.; *Bauch 1966*, p. 26, No. 527, ill.; *Gerson*,
p. 440, ill., No. 398, p. 504

Art Gallery of Ontario, Toronto

REMBRANDT VAN RIJN

17. *Portrait of a Young Woman*   *Portrait d'une Jeune Femme*
22 3/16 ×18 11/16 (56,3×47,5 cm) c. 1665

col. Dukes of Hamilton, before/avant 1836; *Hamilton Palace Sale*, Christie's, June 17,
1882; Winckworth, London; *Messrs. Cottier & Co.*, New York; R. B. Angus, Montréal,
before/avant 1902; Mrs. R. Mac D. Paterson, Montréal

ex. BI, London, 1854, No. 74; *17th Loan Exhibition*, AAM, Montréal, 1893, No. 64 (as
Portrait of a Lady); *Rembrandt*, AAM, Montréal, 1906, No. 1; *Inaugural Exhibition*,
AAM, Montréal, 1912, No. 134; *Portraits*, AAM, Montreal, 1941, No. 67; *Masterpieces of
Painting*, AAM, Montréal, 1942, No. 7; *Paintings from the Montreal Museum of Fine Arts
Collection*, NGC, Ottawa, 1949; *Art from Montreal Collections*, MMFA/MBAM,
Montreal, Feb. 10–27, 1949, No. 51; *Loan Exhibition of Rembrandt*, Wildenstein & Co.,
Inc., New York, Jan. 19–Feb. 25, 1950; *Rembrandt*, AGT, Toronto, 1951; *European
Masters*, Ottawa, Montreal, Toronto, 1954, No. 15, ill.; *Rembrandt to Van Gogh*, VAG,
Vancouver, Sept. 17–Oct. 13, 1957, No. 7; J. Steegman, *Catalogue of Paintings, MMFA*,

1960, No. 1006; *Le Canada collectionne la peinture européenne/Canada Collects European Paintings*, MMFA/MBAM, Montréal, Jan. 19–Feb. 21, 1960, No. 51, p. 35; *Masterpieces from Montreal*, 1966–1967, p. 30, No. 75

ref. Catalogues cited above/Catalogues des expositions citées, *Smith*, 7, p. 178, No. 559; *Waagen*, 3, p. 309; W. von Bode, *Studien zur Geschichte der holländischen Malerei*, Braunschweig, 1883, p. 583, No. 164; C. Dutuit, *Tableaux et Dessins de Rembrandt*, Paris, 1885, p. 45, No. 304; A. von Wurzbach, *Rembrandt-Gallerie*, 1886, p. 61, No. 194; W. Roberts, *Memorials of Christie's*, London, 1897, 2, p. 10; *B-HdG*, 7, p. 136, No. 537; *Wurzbach*, 2, p. 405; *Valentiner*, p. 486; *HdG*, 6, p. 253, No. 503; *Bredius*, No. 400, ill.; Editorial, "Picture Collecting in Canada," *Burl. Mag.*, 96, 618, Sept. 1954, p. 269; *Hubbard*, pp. 90, 151, pl. 94; C. Picher, "Hommage à Rembrandt," *Vie des arts*, Nov.–Déc. 1956, ill. p. 28; MMFA/MBAM, *Handbook Recueil*, Montréal, 1960, p. 65; *La Revue française*, 146a, Nov. 1962, ill., p. 32; *Bauch 1966*, No. 520, ill. (Hendrijcke Stoffels); *Gerson*, p. 404, ill., No. 337, p. 501

MMFA/MBAM, Bequest of/legs de Mrs. R. MacD. Paterson, 1949, from the/de la collection R. B. Angus

SCHOOL OF/ECOLE DE REMBRANDT VAN RIJN

18. *Portrait of Rembrandt   Portrait de Rembrandt*
37×29¼ (94×70,3 cm)

coll. Earl of Listowel, London, 1939

ex. *Rembrandt to Van Gogh*, VAG, Vancouver, 1957, No. 1, ill.

ref. Catalogue cited above/Catalogue de l'exposition citée; *Waagen*, 2, p. 313 ("Portraits of a man and woman, entitled Rembrandt—hung too high to permit of an opinion".); *Rembrandt*, Leiden, 1956, p. 18; *Hubbard*, 1, 151; Hubbard, *NGC Cat.*, 1961, 1, p. 88, No. 4420, ill.; *Bauch 1966*, No. 314, ill. (as/comme Rembrandt); McLuhan and Parker, *Space in Poetry and Painting*, 1967, ill.; *Gerson*, p. 336, ill., No. 236, p. 497 (as/comme Rembrandt)

The National Gallery of Canada/La Galerie nationale du Canada, Ottawa

JACOB ADRIAENSZ. BACKER
Harlingen 1608/9–1651 Amsterdam

From Harlingen where his father was a baker, the family moved in 1611 to Amsterdam. One of the first Amsterdam period pupils of Rembrandt, his relationship with Rembrandt may have been similar to that of Lievens and Rembrandt in Leiden. Backer already trained in the studio of the Mennonite preacher and artist Lambert Jacobsz. in Leeuwarden would appear with his first dated work of 1633 to have become an independent master. Artistically, the picture in question, *The Elevation of the Cross* clearly shows Backer's debt to that of Rembrandt painted for Prince Frederick Henry at the same time. Backer in the end turned primarily to portrait painting and his portraits of the 1630's are interchangeable with those of Rembrandt's other successful pupils of the decade—Bol, Flinck and Victors. *The Grey Boy*, 1634 (Mauritshuis, Den Haag) and *Johannes Uyttenbogaert*, 1635 (Remonstrantenkerk, Amsterdam) are the best known. From the 1640's onward,

70

Backer successfully emulated the style of another Amsterdam artist Bartolomeus van der Helst. He produced the occasional history or hunting piece reminiscent of similar decorative efforts by Bol or Pieter de Grebber. He died a bachelor at 42. He was himself a teacher of such competent portraitists as Jan de Baen and his nephew Adriaen Backer.

Pupil 1632–1633

En 1611, la famille Backer déménage de Harlingen, où le père était boulanger, à Amsterdam. Backer fut l'un des premiers élèves de Rembrandt à Amsterdam et il eut avec le maître des rapports semblables à ceux qui existèrent entre celui-ci et Lievens à Leyde. Après avoir été formé dans l'atelier du prédicateur et artiste mennonite Lambert Jacobsz. à Leeuwarden, il semble que Backer se soit établi comme maître indépendant en 1633, date de sa première oeuvre. Celle-ci, *l'Elévation de la Croix*, révèle clairement la dépendance de Backer qui s'inspire d'une oeuvre de Rembrandt peinte pour le prince Frederick Henry vers la même date. Par la suite, Backer se spécialise dans l'art du portrait. Les portraits qu'il fait dans les années 1630 sont extrêmement proches de ceux des autres bons élèves de Rembrandt de cette décade: Bol, Flinck et Victors. Ses oeuvres les mieux connues sont *"Le Garçon en gris"* 1634 (Mauritshuis, Den Haag) et *"Johannes Uytten-bogaert"* 1635 (Remonstrantenkerk, Amsterdam). A partir de 1640 Backer suit avec habileté le style d'un autre artiste d'Amsterdam, Bartolomeus van der Helst Il produit alors un certain nombre de tableaux historiques et des scènes de chasse qui font penser aux efforts décoratifs fort similaires de Bol ou de Pieter de Grebber. Il enseigne la peinture et a comme élève des peintres portraitistes d'une certaine qualité comme Jan de Baen et son propre neveu Adriaen Backer. Il resta célibataire et mourut à l'age de 42 ans.

Elève 1632–1633

19. *Portrait of a Lady   Portrait d'une Dame*
    30½×24¾ (77,5×62,8 cm)
    s.d. *J.A.B. 1641*

coll. Dowager Countess of Gosford; K. W. Bachstitz, Den Haag

ex. *Dutch Art*, RA, London, 1929, No. 156; *Antique Art*, Rijksmuseum, Amsterdam, June 29–Sept. 1, 1929, No. 5; *Rembrandt*, Indianapolis-San Diego, 1958, No. 16; *Seventeenth Century Painters of Haarlem*, Allentown Art Museum, Allentown, Penn., Apr. 2–June 13, 1965, No. 1, ill. p. 11

ref. Catalogues cited above/Catalogues des expositions citées; K. Bauch, "A Newly Discovered Portrait of Backer," *International Studio*, March, 1929, pp. 39, 94, ill. p. 40; *Handbook of the W. R. Nelson Gallery of Art*, Kansas City, 1933, 1st edition, p. 25, ill.

Nelson Gallery-Atkins Museum of Fine Arts, Nelson Fund, Kansas City

FERDINAND BOL
Dordrecht 1616–1680 Amsterdam

Like Backer he came as a young child to Amsterdam and remained to have a brilliant career. Around 1632 to 1633 he became a pupil of Rembrandt, a relationship which seems to have been sporadically continued between 1635 to 1640. The first dated work occurs in 1642 (Isarlow claimed 1638); the earlier Bols in the exhibition are neither signed nor dated. Bol was also proficient as a draughtsman and etcher. Perhaps it was the very demand for his portraiture that persuaded Bol like Backer to follow the mode of van der Helst after 1650. His historical paintings, especially those connected with the projects for the Amsterdam city hall, retain the flavor of Rembrandt. Cornelis Bisschop and Godfrey Kneller were his pupils. From 1660 onwards his powers seemed to diminish and with his second marriage to a rich widow in 1669 he ceased to exist as an artist. He enjoyed successive fashionable residences before his death in 1680.

Pupil 1632/33–1635, possibly to 1640

Comme Backer, il arrive à Amsterdam étant encore enfant. Il réussit à faire une carrière brillante dans sa ville d'adoption. Vers 1632 à 1633 il devient élève de Rembrandt et continue son apprentissage d'une manière sporadique entre 1635 et 1640. Sa première oeuvre est datée en 1642 (Isarlow préfére la date 1638). Les Bols de la première époque qui font partie de notre exposition ne sont ni datés ni signés. Bol fut également un dessinateur et un graveur de talent. Peut-être le succès des ses portraits décida Bol, tout comme Backer, de suivre le style de Van der Helst après 1650. Ces peintures historiques, particulièrement celles qui se rapportent au projet de l'Hôtel de Ville d'Amsterdam reflètent l'influence de Rembrandt. Il eut comme élève Cornelis Bisschop et Godfrey Kneller. Sa puissance créatrice commence à décliner à partir de 1660 et, à la suite de son deuxième marriage à une riche veuve, il cesse toute activité artistique. Il vécut dans une série de maison de maître avant sa mort en 1680.

Elève 1632/33–1635, possiblement jusqu'à 1640

20. *Vertumnus and Pomona   Vertumne et Pomone*
$61 \times 51\frac{1}{2}$ ($155 \times 130,8$ cm)
s.d. *F. Bol fecit 1644* l.r./b.d.

coll. Lt. Col. Hubert Cornwall-Legh, Cheshire; F. Kleinberger; Mrs. George R. Balch, Cincinnati

ref. F. Kleinberger, *A Descriptive and Illustrated Catalogue of 150 Paintings by Old Masters of the Dutch, Flemish, German, Italian, Spanish and French Schools from the Kleinberger Galleries*, Paris and New York, 1911, p. 12 as/comme *La Diseuse de Bonne Aventure*, "Acc. of Americ. & Can. Mus.", AQ, 21, Spring 1958, p. 85, ill. p. 87; Gustave von Groschwitz, "Ferdinand Bol", *The Cincinnati Art Museum Bulletin*, 5, 4, Oct. 1958, p. 12, ill. p. 14; D. G. Carter, "A Vertumnus and Pomona by Gerbrand van den Eeckhout," *Bulletin*, Herron Museum of Art, Indianapolis, June 1966, ill. p. 38.

The Cincinnati Art Museum, Cincinnati

FERDINAND BOL
21. *Portrait of a Gentleman   Portrait d'un Gentilhomme*
$28\frac{5}{8} \times 24\frac{1}{2}$ ($72,7 \times 62,2$ cm)
s.d. *Bol. fecit, 1659*

coll. Earl Cowper, Panshanger; Lady Desborough; Col. and Mrs. A. W. S. Herrington

ex. *Winter Exhibition*, RA, London, 1881, No. 169; *Herrington Collection*, Krannert Art Museum, University of Illinois, Sept. 21–Nov. 15, 1964 ref. "Acc. of Americ. & Can. Mus.," *AQ*, Autumn 1958, ill. p. 322; "New Acquisition," *Arts Mag.*, March 1959, ill. p. 11

The Art Association of Indianapolis, The John Herron Museum of Art, Gift of/don de, Col. & Mrs. A. W. S. Herrington

FERDINAND BOL
22. *Portrait of a Nobleman   Portrait d'un Noble*
52⅜×41⅞ (133×106,4 cm)
s.d. *F. Bol, 1659*

coll. Consul Weber, Hamburg; *Goudstikker, Amsterdam*

ex. *Goudstikker—Exhibition*, Amsterdam

ref. Hofrath Dr. F. Schlee, *Gallery Weber*, 1890; *Wurzbach*, p. 128; von Pflugh-Hartung, *Repertorium für Kunstwissenschaft*, Berlin 1885, 8, p. 87; Weber, *Führer*, 1887, pp. 19–20; Carl v. Lutzow, *Zeitschrift für bildende Kunst*, 3, 1892, p. 23

Kurt Meissner, Zurich

FERDINAND BOL
23. *Vanitas-Portrait of Saskia   Vanitas-Portrait de Saskia*
51×36 (129,5×91,4 cm)
Authenticated/Authentifié par C. Hofstede de Groot, 1924, as/comme Ferdinand Bol; Dr. J. W. von Moltke, 1963, as/comme Ferdinand Bol

coll. Prince Demidoff; William Skinner; R. Stewart Kilbourne

ref. *Art N*, Oct. 16, 1926, p. 8

Wildenstein & Co., Inc., New York

FERDINAND BOL
24. *Self Portrait   Autoportrait*
36¾×32¾ (93,3×83,2 cm)

coll. Private Polish Collection/Collection particulière polonaise, Paris

ref. Certificate, W. R. Valentiner

M. Knoedler & Company, Inc., New York

FERDINAND BOL
25. *The Intrepidity of Gaius Fabricius in the Army Camp of Pyrrus*
L'Intrépidité de Gaius Fabricius au Camp de l'Armée de Pyrrhus
32×16 (81,2×40,6 cm)

coll. John Tattensall, Enschede; Sales/ventes; Amsterdam, Oct. 12, 1937, No. 302; Amsterdam, May 23, 1967, No. 222; *Mak van Waay*, N.V.

ex. *Tentoonstelling van aanwinsten 1966–1967 voor het Amsterdam Historisch Museum en Museum Willet-Holthuysen*, Amsterdam Historisch Museum De Waag, Dec. 1967, No. 8

ref. H. Schneider, "Ferdinand Bol als Monumentalmaler in Amsterdamer Rathaus," *Jahrbuch der Preussischen Kunstsammlungen*, 47, 1926, p. 73–86; H. van de Waal, *Drie eeuwen vaderlandsche geschieduitbeelding 1500–1800*, 's-Gravenhage, 1952, p. 216, note 7; Pigler, 2, p. 377, ill. p. 375; V. Linnik, *Notes sur les travaux des élèves de Rembrandt pour l'hôtel de ville d'Amsterdam, 1961*

Het Amsterdam Historisch Museum, Amsterdam

FERDINAND BOL
26. *King Pyrrhus   Le Roi Pyrrhus*
43¼×36 (109,9×91,5 cm)
s. *F. Bol*

coll. D. Reder, Brussels; Telkowsky, Antwerp; Rumanian Embassy/Embassade de Roumanie, Den Haag; Marcel Wolf, Den Haag; Herman Goering, Berlin; Dutch

Government/Gouvernement de Hollande; Private Collection/Collection particulière, Den Haag

ref. W. Martin, *Yearbook of the Mauritshuis*, Den Haag, 1933

Dell Publishing Co., Inc., George T. Delacorte, Chairman, New York

FERDINAND BOL
27. *Magnanimity of Scipio   La Magnanimité de Scipion*
32¾×32⅞ (83,2×83,5 cm)

coll. *P. de Boer*, Amsterdam, 1959; *Frederick Mont*, New York

ref. *Catalogue of Old Pictures . . ., C. V. Kunsthandel P. de Boer*, Summer 1959, ill. (as/comme *Joseph's Cup found in Benjamin's Sack/La Coupe de Joseph retrouvée dans le Sac de Benjamin);* "La Chronique des Arts," *Suppl. GB-A,* 1117, Fév. 1962, p. 68; Worcester Art Museum, *Annual Report,* 1962, pp. X, XIII

Worcester Art Museum, Fund/fond, Charlotte E. W. Buffington, Worcester

FERDINAND BOL
28. *The Negotiations between Claudius Civilis and Quintus, Petilius Cerealis on the Demolished Bridge*
Les Pourparlers entre Claudius Civilis et Quintus, Petilius Cerealis sur le Pont démoli
47⅞×43⅝ (121,5×111,5 cm)

coll. Frank Sabin, London, 1927

ex. *Rembrandt*, Leiden, 1956, No. 20, p. 22; *Rembrandt*, San Francisco, Toledo, Boston, 1966–67, No. 94, p. 140, ill.
ref. Catalogues cited above/Catalogues des expositions citées; H. van de Waal, "Tempesta en de Historie-Schilderingen op het Amsterdamse Raadhuis," *O-H* 56, 1939, p. 60, fig. 6, H. van de Waal, *Drie eeuwen vaderlandsche geschieduitbeelding, 1500–1800,* 's-Gravenhage, 1, 1952, pp. 221, 230

Ir. C. Th. F. Thurkow, Den Haag

FERDINAND BOL
29. *Alexander before Diogenes   Alexandre devant Diogène*
14⅝×17¾ (37,1×45,1 cm)

coll. Nicholas Berg, Frankfurt-am-Main, William Berg, Portland, Oregon

ref. Parke-Bernet Galleries, *Dutch and Flemish Paintings and Drawings*, New York, sale/vente No. 1430, April 15, 1953, No. 49; The Art Museum, Princeton University, *The Carl Otto von Kienbusch, Jr. Memorial Collection,* Special Exhibition Catalogue, June 1956, No. 49

The Art Museum, Princeton University, Princeton

PAULUS BOR
Amersfoort c. 1600–1669 Amersfoort

Unlike Rembrandt, a trip to Italy from 1620 to 1623 gave Bor direct experience of artistic developments in Rome where he established connections with the Dutch painters guild, the Bent. Returning to Amersfoort before 1628, his background made him susceptible to Rembrandt's influence, and to that of the Utrecht followers of Caravaggio. In 1631 he contributed to the decoration of the Job Hospital (Hotel Job) in Utrecht and in 1638 to Honselaersdijk, the newly built palace of Prince Frederick Henry.
Not a pupil

Par contraste avec Rembrandt, Bor entreprend un voyage en Italie de 1620 à 1623 ce qui lui permet d'étudier les tendances artistiques à Rome, où il se fait membre de la guilde des peintres hollandais, la *Bent*. De retour à Amersfoort avant 1628, il subit l'influence de Rembrandt et des peintres d'Utrecht, imitateurs du Caravage; ce qui est la confirmation logique de sa formation artistique. En 1631, il participe à la décoration de l'hôpital Job (Hôtel Job) à Utrecht et, en 1638, du Honselaersdijk, le palais récemment construit du prince Frédérick Henry.

N'étudia pas avec Rembrandt

30. *Avarice*
48×39⅜ (121,9×100 cm)

coll. Francois Pauvels; sale/vente Brussels, 1803; Lafontaine, Brussels; Vice-Admiral Preston, Mr. Ove Arup, "Dana," Callow Hill, Virginia Water, Surrey, England; sale/vente *Christie's*, May 8, 1942; Arcade Gallery, London, U.K.

ref. *Smith 7*, p. 77, No. 186 (as/comme Rembrandt), described from the engraving by Cordon/décrit d'après la gravure de Cordon; Ch. Blanc *Le Trésor de la Curiosité*, 2, 1858, p. 214 (as/comme Rembrandt), *HdG*, 6, p. 1781, No. 301 (as/comme Rembrandt), described from the print/décrit d'après la gravure; *Valentiner 1923*, p. 102 (as possibly a lost early Rembrandt/comme possiblement un jeune Rembrandt), *Bauch 1933*, pp. 25, 179, fig. 12; *Catalogue of Drawings and Engravings*, Christie, Manson & Woods, Ltd., London, May 8, 1942; Baroque Paintings of Flanders and Holland, Arcade Gallery, London; *Catalogue of Paintings and other Art Objects*—Cummer Gallery of Art, Jacksonville, Fla., 1961, p. 42, ill.; *Bauch 1960*, pp. 240, 241, ill., fig. 210

Cummer Gallery of Art, Bequest/legs Ninah M. H. Cummer, Jacksonville

LEONARD BRAMER
Delft 1596–1674 Delft

He has left us a number of drawings and water-colours, and showed considerable interest in illustration; his paintings generally modest in format show consistent influence of Rembrandt particularly in his lighting of his subjects. His drawings in their types recall Adriaen Brouwer and Benjamin Gerritsz. Cuyp. His wanderings took him to Rome and finally back to Delft. His literary illustrations included the Bible, the Life of Alexander the Great and Spanish works by Quevedo 1657 and the *Lazarillo de Tormes* 1659. In many respects his work is close in scale and in the use of dramatic lighting and in his use of props to Willem de Poorter.

Not a pupil

Il nous a laissé un certain nombre de dessins et d'aquarelles et il s'est révélé un bon illustrateur. Ses peintures, généralement de petit format, relèvent de l'influence de Rembrandt, particulièrement dans l'illumination de ses sujets. Ses dessins de genre rappellent Adriaen Brouwer et Benjamin Gerritz. Cuyp. Il voyage beaucoup et visite Rome avant de retourner à Delft. Ses illustrations littéraires comprennent la Bible, l'histoire d'Alexandre le Grand et des oeuvres espagnoles de Quevedo (1657) et le *Lazarillo de Tormes* (1659). Sous beaucoup d'aspects son oeuvre se rapproche, tant par ses dimensions que par l'emploi d'une illumination fort dramatique, de celle de Willem de Poorter, dont il imite d'ailleurs les décors.

N'étudia pas avec Rembrandt

31. *Solomon Praying in the Temple   Salomon priant au Temple*
Oil on copper/huile sur cuivre, $8\frac{1}{2}\times10\frac{3}{4}$ (21,6×27,3 cm)
s. *L. Bramer*, on altar step/sur la marche d'autel, c. 1638–1640

coll. *M. J. F. W. van der Haagen*, Den Haag, 1918; C. W. Matthes, Breukelen, 1918; sale/vente Mak van Waay, 4, 11, 58, No. 3 (sale/vente 131); *Jüngeling*, Den Haag, 1958; *Böhler*, München

ref. H. Wichmann, *Leonhard Bramer, Sein Leben und seine Kunst*, Hiersemann, Leipzig, 1923, No. 28b; "Acc. of Americ. & Can. Museum," *AQ* 29, 3–4, 1966, p. 293, ill. p. 301.

MMFA/MBAM, gift/don de Mr. & Mrs. Neil F. Phillips

LEONARD BRAMER
32. *Presentation in the Temple   Présentation au Temple*
oil on copper/huile sur cuivre, $4\frac{3}{4}\times6\frac{1}{8}$ (12×15,5 cm)
s. *L. Bramer*, on table/sur la table

coll. *S. Nystad, Oude Kunst, N.V.*, Den Haag

ex. *Oude Kunst-en Antiekebeurs*, Museum Prinsenhof, Delft, 1967

Mr. F. H. Fentener van Vlissingen, Vught

SALOMON DE BRAY
Amsterdam 1597–1664 Haarlem

Believed to have been a pupil of two Haarlem masters, Hendrik Goltzius and Cornelis van Haarlem, his early works reflect the impact of the Lastman-Pynas circle. From 1615 to 1630 he was in the Shooting Company of St. Adriaen, and from 1616 to 1622 he was a member of the debating or rhetoric society of Wyngaardranken (wine tasters). In 1625 he married Anna Westerbaen who became the mother of the artist Jan de Bray, his best pupil. Salomon de Bray also distinguished himself as a poet and architect having been concerned with plans for the Zylpoort and later the new church in Haarlem. Tragedy struck in 1663 and 1664 when the pest carried off six members of the family including himself. His pictures from the 1630's show the influence of Utrecht artists and of Rembrandt.

Not a pupil

Il semble qu'il étudia avec deux peintres de Haarlem, Henrick Goltzius et Cornelis van Haarlem. Ses premières oeuvres le placent sous l'influence du cercle Lastman-Pynas. De 1615 à 1630, il est membre de la compagnie des gardes de Saint Adriaen et de 1616 à 1622, il est affilié à la Société des Rhétoriciens des Wyngaardranken (Tastevin). Il épousa Anna Westerbaen en 1625 et en eut un fils, Jan de Bray, qui devint son meilleur élève. Salomon de Bray a également eu une carrière brillante comme poête et comme architecte. Il intervint dans les plans du Zylpoort et ensuite dans le projet de la Nouvelle Eglise à Haarlem. Sa fin fut tragique. Entre 1663 et 1664 la peste l'emporta ainsi que six membres de sa famille. Ses tableaux peints après 1630 révèlent l'influence des artistes d'Utrecht et celle de Rembrandt.

N'étudia pas avec Rembrandt

33. *A Shepherd   Un Berger*
pan. 26×19½ (66×49,5 cm)
s.d. *Bray, 1641* (?)

coll. Private collection, Paris, until 1965/Collection privée à Paris jusqu'en 1965

Heim, Paris-London

BENJAMIN GERRITSZ. CUYP
Dordrecht 1612–1652 Dordrecht

Better known as the uncle of the landscape painter Aelbert Cuyp, he was the step-brother of the Dordrecht painter Jacob Gerritsz. Cuyp. While one authority associates Cuyp with Rembrandt in his Leiden years, we have no evidence that he was a pupil. His peasant genre and religious scenes are filled with types recalling those of Adriaen Van Ostade and Leonard Bramer. His lighting schemes and his palette have much in common with those of Rembrandt's Leiden and early Amsterdam years. Cuyp became a member of the guild in 1631 and resided briefly in the Hague in 1643. He died August 28, 1652.

Not a pupil

Cet artiste est surtout connu comme l'oncle du peintre Aelbert Cuyp. Il était d'ailleurs le demi-frère du peintre de Dordrecht Jacob Gerritsz. Cuyp. Bien qu'un auteur associe Cuyp et Rembrandt pour les années de Leyde, nous n'avons pas de preuves concluantes qu'il fut élève du maître. Ses tableaux dépeignant la vie paysanne et des sujets religieux sont remplis de personnages qui rappellent ceux d'Adriaen van Ostade et de Leonard Bramer. Les couleurs de sa palette et son jeu de lumière dérivent de l'oeuvre de Rembrandt de l'époque de Leyde. Au cours des premières années de son séjour à Amsterdam, Cuyp devient membre de la guilde, en 1631, et en 1643 on le trouve brièvement à La Haye. Il mourut le 28 août 1652.

N'étudia pas avec Rembrandt

34. *The Annunciation to the Shepherds   L'Annonciation aux Bergers*
48×37½ (122×95,2 cm)

coll. M. L'Abbé Desjardins; Joseph Légaré, c. 1817; Musée du Séminaire de Québec

ref. J. Purves Carter, *Catalogue of the Paintings in the Gallery of Laval University*, Québec, 1908, No. 151, p. 43 (as/comme Eeckhout)

Musée du Séminaire de Québec, Québec

BENJAMIN GERRITSZ. CUYP

35. *Annunciation to the Shepherds   L'Annonciation aux Bergers*
35×24 (89×61 cm)

coll. Picture Gallery, Castle Diozegh, Czechoslovakia

ex. *Masterpieces of Painting: Treasures of Five Centuries*, the Columbus Gallery of Fine Arts, Ohio, Oct.–Nov. 1950, No. 12, ill., p. 15; *Rembrandt*, Raleigh, 1956, No. 13, ill.

ref. Catalogue cited above/Catalogues des expositions citées

Paul Drey Gallery, New York

LAMBERT DOOMER
Amsterdam 1622/23–1700 Alkmaar

A native of Amsterdam and probably a pupil of Rembrandt sometime between 1640 to 1645, he was a competent portraitist in the mode of Backer, Flinck and van der Helst. His restless nature is better reflected, however, in his landscape sketches and paintings which describe with great charm the villages, towns and castles of the United Provinces, the Rhine and at least one town in France, Angers, seen on a trip about 1645. His marriage to Mettie Harmens, a widow from Arnhem in 1668, was followed in 1671 by the purchase of a house in Amsterdam where he lived until 1680 when he settled in Alkmaar.
Pupil about 1640–1645

Il naît à Amsterdam et étudie sans doute avec Rembrandt pendant quelque temps entre 1640 et 1645. Il s'avère un peintre doué pour le portrait dans le style de Backer, Flinck et Van der Helst. Cependant ce sont ses esquisses et ses paysages qui permettent d'apprécier mieux sa nature aventureuse. Il décrit avec un très grand charme les villages, les villes et les châteaux des Provinces Unies, du Rhin et d'au moins une ville française, Angers. Ce voyage, il le fait en 1645. En 1668, il épouse une veuve d'Arnhem, Mettie Harmens, et achète une maison en 1671 à Amsterdam où il vit jusqu'en 1681 alors qu'il s'établit à Alkmaar.
Elève 1640–1645

36. *Young Couple Standing Beside a Globe   Jeune Couple debout à côté d'un Globe*
pan., 28½×21½ (72,4×54 cm)
s.d. *Doomer, 1658*

coll. Gaston Alexander, Paris; *F. Kleinberger & Co.*, New York

ex. *Life in Seventeenth Century, Holland*, Wadsworth Atheneum, Hartford, Nov. 21, 1950–Jan. 14, 1951, p. 24, No. 65, pl. XIII; *Rembrandt*, Leiden, 1956, Raleigh, 1956, No. 14

ref. Catalogue cited above/Catalogues des exposition citées; A. Bredius, Kunstler-inventare, 1915, 1, pp. 74–77

Robert Hull Fleming Museum, University of Vermont, Burlington

GERRIT DOU
Leiden/Leyde 1613–1675 Leiden/Leyde

First trained as a glassmaker and engraver under his father from 1625 to 1627, became a guild member. In 1628 he entered Rembrandt's studio, and while with Rembrandt patterned his own painting upon Rembrandt's. Dou seemed more at home in the Leiden tradition of still-life and love of minutiae and did not elect to follow Rembrandt in the latter's ambitious move to Amsterdam. The break in their artistic association caused a reversion in favour of meticulous technique— even to over-refinement. The vogue of the day resulted in an invitation to the court of Charles II which he declined. After mid-century candle-light scenes in petit-bourgeoise surroundings were initiated as a fad by Dou. Pieter van Slingeland, Quiringh Brekelenkam, Frans van Mieris the Elder and Gabriel Metsu were among his pupils.

Pupil 1628–1631

Son père le destine à l'art du vitrail et à la gravure et dirige son éducation de 1625 à 1627 quand il devient membre de la guilde. En 1628, il s'associe au studio de Rembrandt et imite la manière du maître pendant la durée de ses études avec celui-ci. Cependant, Dou se sent plus à l'aise dans la tradition de Leyde et se distingue par ses natures mortes et son amour du détail. Il n'accompagne pas Rembrandt lors de son déménagement ambitieux à Amsterdam. Quand l'association artistique des deux peintres prend fin, Dou revient à une technique méticuleuse que l'on peut presque qualifier de précieuse. Il se met au goût du jour au point d'être invité à la cour de Charles II. Il ne s'y rend pas. Après 1650, Dou peint des scènes d'intérieurs petit bourgeois illuminés par des chandelles. Ce genre de tableaux fut fort à la mode par la suite. Dou eut comme élèves, Pieter van Slingeland, Quiringh Brekelenkam, Frans van Mieris le Vieux et Gabriel Metsu.

Elève vers 1628–1631

37. *An Evening School   L'Ecole du Soir*
pan. 10×9 (25,4×22,8 cm)

coll. Charles T. Yerkes, New York

ref. *HdG*, 1, p. 416, No. 208; *Charles T. Yerkes collection—Sale Catalogue*, American Art Association, Mendelssohn Hall, April 5–8, 1910, No. 20, ill.; W. Martin, *Gerard Dou, des Meisters Gemälde*, Stuttgart und Berlin, 1913 (Klassiker der Kunst), p. 174, ill.; H. W. Williams Jr., "Dou's Evening School," *MMA Bulletin*, 35, Oct. 1940, p. 206

The Metropolitan Museum of Art, Bequest/legs, Lillian M. Ellis, 1940, New York

WILLEM DROST

c. 1630–1687 Dordrecht

Said to be of German origin, a fact which would tend to be confirmed by the signature of his first name, Wilhelm, in the *Portrait of a Man* from the Metropolitan Museum of Art, New York. About 1650 he was in Rome with other artists of the Dutch colony, Jan van Meer, Lieven Verschuier and Carel Loth. He is thought to have become a pupil shortly afterwards and remained to 1656 with Rembrandt. If he remained until 1656 it was as a free master as signed works occur as early as 1651. No signed or dated works are known after 1656. In 1680 he was recorded in Rotterdam and died in Dordrecht.

Pupil 1650 (?)–1654–1656

Sans doute son origine était allemande, ce qui pourrait expliquer pourquoi il signe son prénom, Wilhelm, sur le *Portrait d'un Homme* du Metropolitan Museum of Art. Vers 1650 il se trouve à Rome avec d'autres artistes de la colonie hollandaise, notamment Jan van Meer, Lieve Verschuier et Carel Loth. Peu après, semble-t-il, il devient élève de Rembrandt et reste avec le maître jusqu'en 1656. Remarquons toutefois, si l'on considère qu'il fut élève de Rembrandt jusqu'à cette date, qu'il travaille aussi comme maître indépendant, car on trouve des oeuvres signées par lui-même à partir de 1651. Après 1656 on ne lui connaît pas de tableaux datés ou signés. En 1680, on le retrouve à Rotterdam, mais il meurt à Dordrecht. *Elève 1650 (?)–1654/56*

38. *Bathsheba   Bethsabée*
$40\frac{1}{2} \times 34\frac{1}{4}$ (103×87 cm)
s.d. *Drost f. 1654*, on letter/sur la lettre

coll. Dr. Leroy d'Etoilles, Paris, vente/sale, Paris, 21–22 fév. 1861, No. 27, p. 12; M. de Vandeul, 1866

ex. Exposition circulante en province, Cambrai, 1936; Valenciennes, Metz, 1938; *Rembrandt*, Leiden, 1956, No. 30, p. 27, ill. pl. 19; *Exposition de 700 Tableaux tirés des Réserves du départment des peintures*, Musée National du Louvre, Paris, 1960, No. 404, p. 94

ref. Catalogues cited above/Catalogues des expositions citées; W. Burger (-T. Thoré), "*Le Christ bénissant les enfants* par Rembrandt (Galerie Suermondt), *Aix-la-Chapelle*", *GB-A*, 21, 1866, p. 257; C. Vosmaer, *Rembrandt, sa vie et ses oeuvres*, La Haye—Paris, 1877, p. 234; J. Guiffrey, "les accroissements du Musée du Louvre", *Les Arts*, 1902, 12, p. 18, ill. (as/comme Cornelis Drost), H. Mireur, Dictionnaire des ventes d'art. . ., 2, Paris, 1902, p. 550 (as/comme J. van Drost); C. Hofstede de Groot, "William Drost," *Thieme-Becker*, p. 537; L. Demonts, *Catalogue des peintures exposées dans les galeries du Musée National du Louvre t.III, Ecoles flamande, hollandaise, allemande et anglaise*, Paris, 1922, No. 2359A, p. 153; C. Hofstede de Groot, "Rembrandt og W. Drost?" *O-H*, 46, 1929, pp. 33–39; A. Bredius, "Een portret van William Drost," *O-H*, 46, 1929, pp. 96–98; W. R. Valentiner, "Willem Drost, Pupil of Rembrandt," *AQ*, Autumn 1939, pp. 300–1, pl. 1; W. Martin, *De Hollandsche Schilderkunst, Rembrandt en zijn tijd*, 2, Amsterdam, 1942, p. 137; H. Gerson, "Het tijdperk van Rembrandt en Vermeer," *De Nederlandse Schilderkunst*, 2, Amsterdam, 1953, p. 20, pl. 44; *Pigler*, 1, p. 150; *Rosenberg-Slive-ter Kuile*, p. 98, ill. pl. 73a; *Gerson*, p. 120. ill.

Musée National du Louvre, Paris

WILLEM DROST

39. *Portrait of a Man   Portrait d'un Homme*
$34\frac{1}{8} \times 28\frac{1}{2}$ (86,7×72,4 cm)
s. *Wilhelm Drost F./Amsterdam*, on paper, l.l./sur un papier, b.g.

coll. Private Collection, Amsterdam; sale/vente, Amsterdam, Dec. 17, 1850; Albert Levy, London; sale/vente, *Christie's*, London, May 3, 1884; James MacAndrew, Belmont, Mill Hill; sale/vente, *Christie's*, London, Feb. 4, 1903, No. 128; *L. Lesser*, London; dealer/agent, New York, c. 1915; Felix M. Warburg, New York, 1941

ex. *Masterpieces of Art, European and American Paintings, 1500–1900*, New York, World's Fair, 1940, No. 99; *Old Masters of the Metropolitan*, University of Wisconsin, 1949, ill.; *Rembrandt*, Raleigh, 1956, No. 21, pp. 38, 116

ref. Catalogues cited above/catalogues des ventes et des expositions citées; W. R. Valentiner, "Willem Drost, Pupil of Rembrandt," *AQ*, 2, 1939, pp. 300, 303, 325 (note 4), ill. p. 298, fig. 4; H. B. Wehle, "A Gift of Paintings and Drawings," *MMA Bulletin*, 37, June 1942, p. 160 ff, ill. p. 161

The Metropolitan Museum of Art, New York

WILLEM DROST
40. *Self Portrait   Autoportrait*
pan. $23\frac{7}{16} \times 18\frac{1}{2}$ (59,5×47 cm)

coll. Mrs. C. H. Kleiweg de Zwaan

ex. *Catalogue of Old Pictures . . . C. V. Kunsth. P. de. Boer*, Amsterdam, Summer 1957 Aug. 31 (as/comme G. Flinck)

ref. catalogue cited above/catalogue de l'exposition citée;

Kunsthandel P. de Boer, Amsterdam

WILLEM DROST
41. *Portrait of a Seated Girl and Boy*
Portrait d'une Jeune Fille et d'un Garçon
$44\frac{1}{4} \times 33\frac{7}{8}$ (112,5×86 cm)

coll. *K. Meissner*, Zürich

ex. *Catalogue of Old Pictures. . ., C. V. Kunsthandel P. de Boer, N.V.*, Amsterdam, summer 1968, No. 9a, ill.

ref. Catalogue cited above/Catalogue de l'exposition citée

Kunsthandel P. de Boer, Amsterdam

HEYMAN DULLAERT
Rotterdam 1636–1684 Rotterdam

Dullaerts Gedichten, published in 1719 by David van Hoogstraten, indicates that Dullaert became a pupil of Rembrandt in 1653. Apparently, he returned, after his sojourn in Amsterdam, to Rotterdam where, in 1668, he became the head of the Guild of St. Luke. He was also a poet. Knowledge of his work is restricted to still-life. A portrait by Philips Koninck of Dullaert is in the collection of the City Art Museum of St. Louis and suggests the contact which may have brought Dullaert to Rembrandt.
Pupil 1653

Les poèmes de Dullaert, publiés en 1719 par David van Hoogstraten, indiquent que leur auteur entre à l'atelier de Rembrandt en 1654. Après un séjour à Amsterdam, il retourne à Rotterdam où, en 1668, il devient le directeur de la Guilde de Saint-Luc. Il se fit une réputation de poète. En peinture, nous ne connaissons de lui que des natures mortes. Le City Art Museum of St. Louis, possède un portrait de Dullaert par Philips de Koninck. Ce tableau nous donne à penser que c'est probablement ce dernier qui le présenta à Rembrandt.
Elève en 1653

42. *Trompe-l'Oeil*
pan. $19\frac{1}{2} \times 15$ (49,5×38 cm)

ex. *Spring Exhibition of Fine Paintings of the European Schools*, Old Masters Galleries, London, U.K., May 1–Jun. 30, 1967, No. 12

ref. Catalogue cited above/catalogue de l'exposition citée

Old Masters Galleries, London

ABRAHAM VAN DYCK

c. 1635–c. 1672 Amsterdam

Rare artist painting in a style close to that of Barent Fabritius, he is best known for his genre and biblical pictures. The assumption is that van Dyck became a pupil about 1650; his known dated works are from 1651 to 1659 and are usually signed A. V. Dyck. The example presented here is signed with a monogram. The earliest of these works *The Presentation in the Temple* in the van den Berg collection recalls the style of Rembrandt while the later works are closer to van Hoogstraten, and B. Fabritius.
Pupil about 1650

On ne connaît que peu d'oeuvres de cet artiste qui peint dans un style qui se rapproche de celui de Barent Fabritius. Il produit surtout des tableaux de genre et des scènes bibliques. On croit que Van Dyck devint élève de Rembrandt vers 1650. Les oeuvres qu'il peint de 1651 à 1659 sont signées généralement A. V. Dyck. Le tableau présenté à cette exposition porte cependant, un monogramme. Sa première oeuvre connue, la *Présentation au Temple* dans la Collection Van den Berg, se rapproche du style de Rembrandt. Dans son oeuvre postérieure Van Dyck suit le pinceau de Van Hoogstraten et B. Fabritius.
Elève vers 1650

43. *Grace before Meal   Le Bénédicité*
    26½×29½ (67,3×75 cm)
    mono. *AVD* on table leg/sur le pied de la table

    coll. sale/vente, Sotheby's, London, 1956

    ex. C. Gilbert, *Figures at a Table*, John and Mable Ringling Museum of Art, Sarasota, No. 19, ill. (as/comme *Couple at Prayer/Couple en Prière*)

    ref. Catalogue cited above/Catalogue de l'exposition citée

    E.W., New York

GERBRANDT VAN DEN EECKHOUT

Amsterdam 1621–1674 Amsterdam

The son of a goldsmith, he became an able draughtsman, painter and poet, and remained a bachelor.
Regarded with Roeland Roghman as one of Rembrandt's best friends, his own style depended heavily upon Rembrandt's but he also seems to draw upon the works of Bol and Flinck for stylistic guidance. He reveals himself to be capable of work of very high quality. He was pupil to Rembrandt from 1635 to 1640; he himself never had a pupil. His other distinction which few escape was to be recorded as a taxpayer between the years 1659 and 1672. Rembrandt's influence is most evident in his use of light and shade and in the types favoured by Eeckhout. While he is a very solid portrait painter, most of Eeckhout's interests focused upon religious, historical and mythological themes.
Pupil 1635–1640

Van den Eeckhout, dont le père était orfèvre, excella dans le dessin, la peinture et la poésie. Il mourut célibataire. Van den Eeckhout fut, avec Roeland Roghman, un des amis les plus proches de Rembrandt et son style s'inspire beaucoup du maître, ainsi qu'à un degré moindre de Bol et de Flinck. Ses tableaux sont généralement d'une très haute qualité. Il fut élève de Rembrandt de 1635 à 1640. Pour sa part, il n'eut pas d'élèves. On le trouve sur le registre des contribuables pendant les années 1659 à 1672. La manière de traiter les jeux de lumière et d'ombre et le choix de sujets, révèlent l'influence exercée par Rembrandt sur van den Eeckhout. On lui reconnaît un grand talent de portraitiste, mais il se consacra surtout au tableau religieux, historique, et mythologique.

Elève 1635–1640

44. *Gideon and the Angel   Gédéon et l'Ange*
$34\frac{1}{4} \times 30\frac{3}{4}$ (87×78 cm)
s.d. *G. V. Eeckhout, 1642*

coll. Sales/ventes, *Fr. Lippmann, Auction Lepke*, Berlin, Nov. 26, 1912, No. 12; *G. Harms*, Berlin, Dec. 1, 1937, No. 110, ill. 16; *P. de Boer*, Amsterdam, 1966

ex. *Catalogue of Old Pictures, Kunsth. P. de Boer*, Amsterdam Summer, 15 Jun. 1966, No. 10, ill.; *Antique Dealers' Fair*, Museum Prinsenhof, Delft, June 23–July 14, 1966

ref. Catalogues cited above/catalogues des expositions citées; W. Sumowski, "Gerbrand van den Eeckhout als Zeichner," *O-H*, 78, 1, 1962, pp. 11–39, ill. fig. 2, p. 13

Dr. Otto J. H. Campe, Hamburg

GERBRANDT VAN DEN EECKHOUT
45. *Christ and the Woman of Samaria at the Well   Le Christ et la Samaritaine au Puits*
$5 \times 4\frac{1}{2}$ (12,7×11,4 cm)
s.d. *G. Eeckhout 16—*

coll. Captain E. G. Spencer-Churchill, Northwick Park, Gloucestershire

David M. Koetser Gallery, Zürich

GERBRANDT VAN DEN EECKHOUT
46. *Rebecca at the Well   Rébecca au Puits*
$30 \times 42\frac{1}{2}$ (75×108 cm)
s.d. *G. V. Eeckhout, fecit, 1661* l.r./b.d.

ex. *Exhibition of Dutch Seventeenth Century Paintings*, H. Shickman Gallery, New York, Oct, 1967, No. 13, ill.

ref. Catalogue cited above/catalogue de l'exposition citée

H. Shickman Gallery, New York

GERBRANDT VAN DEN EECKHOUT
47. *St. Peter Healing the Lame   Saint Pierre guérissant le Boîteux*
$24\frac{1}{2} \times 27\frac{3}{8}$ (62,2×69,5 cm)
s.d. *G. V. d. Eeckout f. Ao 1667* l.l./b.g.

Coll. Gart, Amsterdam; G. Hibbert, Esq. 1829; Sir Audley Neeld, Bt.; sale/vente Neeld, London, July 13, 1945, No. 60, ill.; W. Heil, San Francisco; Mr. and Mrs. George T. Cameron

ex. RA, *Seventeenth Century Art*, No. 144; *Rembrandt*, Leiden, 1956, No. 35, pp. 8, 28, ill. pl. 16

ref. Catalogue cited above/catalogue de l'exposition citée; *Waagen*, 2, p. 246; Sir Joshua Reynolds, *Litterary Works* ed. H. W. Beechy, 1890, 2, p. 203; J. Byam Shaw, *Old Master Drawings*, 1938–39, No. 50, pp. 18–20; H. Gerson, *Ned. Schilder hast*, 2, p. 20, fig. 43,

European Works of Art in the M. H. de Young Memorial Museum, San Francisco, 1966, p. 125; *Rosenberg-Slive-ter Kuile*, p. 95, ill., PL.68b; *Gerson*, p. 154, ill.

M. H. de Young Memorial Museum, Gift of/don de Mr. and/et Mrs. George T. Cameron, San Francisco

GERBRANDT VAN DEN EECKHOUT
48. *The Laborer of Gibea Offering Hospitality to the Levite and His Wife   L'Ouvrier de Gabao offrant l'Hospitalité au Lévite et à sa Femme*
38×48 (96,5×122 cm)

ref. Attribution courtesy/courtoisie Mr. Blankaert, Inst. for Nederl. Art History, Den Haag; Mr. Frits Lugt, Prof. Jan van Gelder, Dr. Werner Sumowski, who recognised the self-portrait of the artist in the levite/qui a reconnu l'artiste sous les traits du lévite (cf. Drawing in F. Lugt Coll., Paris)

E. W., New York

GERBRANDT VAN DEN EECKHOUT
49. *Vertumnus and Pomona   Vertumne et Pomone*
pan. 10½×8 (26,9×20,5 cm)
s. *G. Eeckhout, f.* l.l./b.g.: c. late 1660's

coll. Dr. H. Wetzlar, Amsterdam; *Ch. E. Duits*, London, 1956; *Julius Böhler*, Munich
ex. *Rembrandt*, Leiden, 1956, No. 36, p. 29

ref. Catalogue cited above/Catalogue de l'exposition citée; "Acc. of Americ. & Can. Mus.," *AQ*, 22, Spring, 1959, ill. p. 85; D. G. Carter, "A Vertumnus and Pomona by Gerbrand van den Eeckhout," *Bulletin, Herron Museum of Art*, Indianapolis, 53, June 2, 1966, pp. 38–45, ill. fig. 1, pp. 36–45
The Art Association of Indianapolis, The John Herron Museum of Art, Indianapolis

BARENT FABRITIUS
Middenbeemster 1624–1672 Amsterdam

Brother of the artist Carel Fabritius, the tenuous available indications are that he entered Rembrandt's studio about 1643 to 1644 to remain the customary three years. In any event, the first signed work is dated 1650. By 1652 he is again in Delft at which point his style is becoming clearer. In 1652 he married Catherina Mutsers who presented him with a son in 1653 and a second in 1654. The year after his brother's death, 1655, he visited London to return again to Amsterdam and Leiden, where he became on May 14, 1658, a member of the Guild of St. Luke. He seemed to seek commissions in Beemster, Leiden, Amsterdam, wherever there was a demand for his narrative art. The year of Rembrandt's death he decorated the dome of a country seat in De Purmer.
Pupil 1643–1646 (?)

Barent Fabritius est le frère de Carel Fabritius. Des renseignements imprécis portent à croire qu'il serait entré à l'atelier de Rembrandt vers 1643 ou 1644 et, selon l'usage, y serait demeuré trois ans. Quoi qu'il en soit, sa première oeuvre signée date de 1650. En 1652, on le retrouve à Delft. A ce moment, son style a acquis beaucoup plus de clarté. Il épouse, en 1652, Catherina Mutsers qui lui donne un fils en 1653, et un autre, en 1654. L'année qui suit la mort de son frère, 1655, il visite Londres, mais revient ensuite à Amsterdam, puis à Leyde où, le 14 mai

1658, il devient membre de la Guilde de Saint-Luc. Il semble rechercher les commandes à Beemster, à Leyde, à Amsterdam, enfin partout où l'on apprécie son genre narratif. L'année de la mort de Rembrandt, il décore le dôme d'une maison de campagne à DePurmer.

Elève 1643–1646 (?)

50. *St. Matthew and the Angel   Saint Mathieu et l'Ange*
$29\frac{1}{8}\times24\frac{1}{4}$ (74×61,6 cm)
s.d. *B. Fabritius, 1656 f.*

sale/vente, *Christie's*, London, June 29, 1928, No. 51; coll. Dr. C. J. K. van Aalst, Hoevelaken; N. J. van Aalst, Hoevelaken; sale/vente, *Mak van Waay*, Amsterdam, Sept. 28, 1966, No. 33

ex. *Rembrandt*, Leiden-Bolsward, 1968, No. 8, p. 6, ill.

ref. Catalogue cited above/Catalogue de l'exposition citée; G. Isarlo, "Rembrandt et son entourage," *La Renaissance*, 19, 1936, 4, 7–9, p. 49; J. W. von Moltke and W. R. Valentiner, *Dutch and Flemish Old Masters in the Collection of Dr. C. J. K. van Aalst*, Verona, 1939, pp. XIII, 128, pl. XXX; *Pont*, pp. 42, 43, 112, 159, pl. 14, No. 22; H. van de Waal, "Rembrandt's Faust etching, a Socinian document and the iconography of the inspired scholar," *O-H*, 79, 1964, p. 31, pl. 33, p. 42, note 93

Daan Cevat, Worthing, Sussex

BARENT FABRITIUS

51. *Hagar and Ishmael taking leave of Abraham   Agar et Ismaël prenant congé d'Abraham*
pan. $19\frac{1}{2}\times14\frac{1}{4}$ (49,5×36,2 cm)
s.d. *B. Fabritius 1658*, l.c./b.c.

coll. Sir Joshua Reynolds; George Chambers; remained in Chambers Family until 1957/dans la famille Chambers jusqu'en 1957

ref. *Pont*, pp. 103–104, No. 4, ill., pl. 17

F. Kleinberger & Co., Inc., New York

BARENT FABRITIUS

52. *Gideon and the Angel   Gédéon et l'Ange*
29×40 (73,6×101,6 cm)

ex. *Rembrandt*, Leiden, 1956, No. 39, ill. pl. 21, as/comme, Gerbrandt van den Eeckhout.

S. Nystad, Den Haag

BARENT FABRITIUS

53. *Hagar Leaving Abraham   Agar quittant Abraham* (Genesis, 21, 14)
$42\frac{3}{4}\times42\frac{3}{4}$ (108,5×108,5 cm)

coll. sale/vente, Earl of Denbigh, Newham, Paddox; *Colnaghi*, London

ex. BI, London, 1824, No. 100; Manchester, 1857, No. 838; Guild Hall, London, 1903, No. 192

ref. *Smith*, 7, 1836, No. 5 (as/comme Rembrandt); *B-HdG*, 5, 1901, p. 83, No. 334, ill.; *Valentiner*, pp. 304, 559; *Thieme-Becker*, 10, 1914, p. 355 (as/comme G. v.d. Eeckhout); *HdG*, Verzeichnis, 1915, p. 11, No. 6 (attribution?); R. Hamann, "Hagars Abschied bei Rembrandt u. im Rembrandt-Kreise," *Marburger Jahrbuch für Kunstwissenschaft*, 8/9, p. 15, fig. No. 20, p. 14; *European Works of Art in the M. H. de Young Memorial Museum*, San Francisco, 1950, p. 65, ill.; ibid, 1966, p. 124; *Pont*, p. 19, p. 103, No. 3, fig. 3

M. H. de Young Memorial Museum, San Francisco

BARENT FABRITIUS

54. *Portrait of an Old Man   Portrait d'un Vieillard*
pan. $19\frac{1}{2}\times15\frac{5}{8}$ (49,5×39,7 cm)

coll. Dr. L. D. van Hengel, Arnhem, Netherlands; *Alfred Brod Gallery*, London, U.K.

ex. *Annual Spring Exhibition of Paintings by Old Dutch and Flemish Masters*, Alfred Brod Gallery, London, May 9–May 30, 1963, No. 15, ill.

ref. Catalogue cited above/Catalogue de l'exposition citée; *Catalogue, Collection Dr. L. D. van Hengel*, No. 361, ill. (as/comme Carel Fabritius); *The Illustrated London News*, May 25, 1963, p. 807, ill.

H. Shickman Gallery, New York

BARENT FABRITIUS

55. *Christ and the Woman Taken in Adultery   Le Christ et la Femme adultère*
$45\frac{1}{4}\times53\frac{3}{4}$ (115×136,5 cm)
falsely signed/fausse signature, d. *Rembrandt 1644*

coll. Duke of Marlborough, Blenheim, 1836, sale/vente, London, June 26, 1886, No. 37; Sir Charles J. Robinson, London; *Sedelmeyer*, Paris, 1891; E. F. Weber, Hamburg, 1895, sale/vente, Berlin, Feb. 20, 1912, No. 250; *Sedelmeyer*, Paris, 1895, 2me Série, No. 32; T. B. Walker.

ex. Amsterdam, 1898, No. 62; St. Paul Institute, Apr. 1920; Palace of the Legion of Honor, San Francisco, 1927; *Rembrandt*, Chicago, 1935–36, No. 12; *Rembrandt*, Worcester, 1936, No. 13; *Masterpieces of Art*, New York World's Fair, May–Oct., 1940; *Rembrandt*, Raleigh, 1956, No. 25 (as/comme Rembrandt)

ref. Catalogues cited above/Catalogues des expositions citées; *Smith*, 7, No. 113, *Waagen*, 3, p. 126; W. Bode, *Studien zur Geschichte der Holländischen Malerei*, Braunschweig, 1883, pp. 508, 578, No. 141; *Sedelmeyer*, No. 32; C. Hofstede de Groot, "Die Rembrandt-Ausstellungen zu Amsterdam", *Repertorium für Kunstwissenschaft*, 1899, pp. 160–61; *B-HdG*, B.338, *Valentiner*, p. 537, ill. (as/comme?); F. Schmidt-Degener, *Rembrandt*, p. 85; *Valentiner 1923*, No. 83; W. R. Valentiner, "Carel and Barent Fabritius", *Art Bul.*, 14, 3, Sept. 1932, pp. 196–241, fig. 34 (as/comme B. Fabritius retouched by/retouchée par Rembrandt)

Walker Art Center, Minneapolis

BARENT FABRITIUS

56. *Young Girl Plucking a Duck   Jeune Fille plumant un Canard*
$33\frac{1}{8}\times27\frac{9}{16}$ (84,1×70 cm)

coll. Mrs. Thornton, Cimiez, Nice; Duc de Morny, Paris; *Wildenstein Galleries*, New York, 1945

ex. *Dutch Genre and Landscape Painting*, DIA, Detroit, 1929, No. 42 (as/comme Nicolas Maes); *European Paintings*, Museum of History, Science and Art, Los Angeles, 1934, No. 22; Wadsworth Atheneum, Hartford, Conn., 1934; Wilmington Society of Fine Arts, Del., 1935; *Rembrandt*, Chicago, 1935–1936, No. 13; *Rembrandt*, Worcester, 1936; *Dutch Painting of the 17th Century*, The John Herron Art Museum, Indianapolis, Feb. 27–Apr. 11, 1937, No. 16; *Seventeenth Century Dutch Masterpieces*, MAI, Milwaukee, 1943; *Four Centuries of Portraits*, Wildenstein & Co., New York, Jul.–Sept., 1945, No. 13; *The Child Through Four Centuries*, Wildenstein Galleries, New York, Mar. 1–28, 1945, p. 11, No. 8; *The Commonwealth of Painting*, Addison Gallery, Andover, Mass., 1946, No. 21; Wilmington Society of Fine Arts, Del, 1951, No. 11; University of Western Ontario, London, Canada, 1954; *Revista Nacional de Cultura*, Caracas, Venezuela, 1956, p. 198, ill.; *Rembrandt*, Leiden, 1956, p. 30, No. 41, ill. cover; *Rembrandt*, Raleigh, 1956, No. 30; Museo Nacional, Havana, 1957; *Collectors' Choice II*, Art Museum, Denver, Jan. 28–Mar. 6, 1960, No. 62

ref. Catalogues cited above/Catalogues des expositions citées; G. Falck, *Old Master Drawings*, 3, 11, Dec. 1928, pp. 49–51, No. 43; RA, *Commemorative Catalogue, Exhibi-*

tion of Dutch Art, London, 1929, pp. 224–225; Art N, Oct. 19, 1929, W. R. Valentiner, "Carel and Barent Fabritius," Art Bul., 14, Sept. 1932, No. 18; Aline B. Louchheim, "Children of all Ages, their portraits a permanent painter's problem," Art N, 44, Mar. 1–14, 1945, p. 15; "La Chronique des Arts," GB-A, supplement, 1141, Feb. 1964, p. 58, No. 198; P. L. Grigaut, "Rembrandt and His Pupils in North Carolina," AQ. 19, 4, 1956, p. 410; Pont, p. 88, p. 128, No. 5, p. 150, Addendum 3

Dallas Museum of Fine Arts, Dallas

BARENT FABRITIUS
57. *The Prophet Elia and the Widow of Zarephtah*   *Le Prophète Elie et la Veuve de Sarephta*
25¼×22¼ (64,1×56,6 cm)

coll. G. Hulin de Loo, 1947; Struyck de Bruyère, Antwerp, 1950

ex. Museum Gent (Ghent/Gand), 1938, No. 1925

ref. A. Kay, *Treasure Trove in Art*, 1939, p. 63

S. Nystad, Den Haag

CAREL FABRITIUS
Middenbeemster 1622–1654 Delft

One of the greatest talents to study with Rembrandt, his works are very rare. His artistic relationships with his brother Barent, Samuel van Hoogstraten, Rembrandt and ultimately Vermeer and De Hooch need further inquiry. His own training began in 1641 under his father Pieter, he married Aeltje Velthuysen in September of that year and entered Rembrandt's studio. In August of 1642, the same year that Rembrandt lost Saskia, Carel lost Aeltje. Obligations resulting from his wife's death dogged him for the rest of his life. He died 1200 gulden in debt. After leaving Rembrandt's studio in the summer of 1643, he lived in Amsterdam and Middenbeemster until 1652 when he moved to Delft. It was in Delft that his most important stylistic transformation occured.
Pupil 1641–1643

Bien qu'il ait été l'un des plus brillants élèves de Rembrandt, il a laissé peu d'oeuvres. On sait également peu de chose des relations artistiques qu'il entretint avec son frère Barent, Samuel van Hoogstraten, Rembrandt et, enfin, Vermeer et de Hooch. Il commence ses études en 1641 avec son père, Pieter. En septembre de la même année, il épouse Aeltje Velthuysen et devient élève de Rembrandt. Presqu'en même temps que Rembrandt perd Saskia, il perd sa femme, Aeltje, en août 1642. La mort de son épouse lui crée des difficultés financières qui le poursuivront toute sa vie. Il meurt en laissant une dette de 1200 florins. Après avoir quitté l'atelier de Rembrandt, l'été de 1643, il travaille à Amsterdam et à Middenbeemster jusqu'en 1652, alors qu'il s'installe à Delft. C'est à partir de ce moment que son style se transforme vraiment.
Elève 1641–1643

58. *Saint Peter in Prison Summoned by the Angel*   *Saint Pierre en Prison appelé par l'Ange*
39½×49½ (100,3×125,7 cm)
coll. Private collection/collection particulière, England; Schaeffer Galleries, N.Y.

ex. W. Stechow, *Dutch Painting in the 17th Century*, Museum of Art, Rhode Island School of Design, Providence, 1938, ill., p. 13; W. Heil, *Masterpieces of Five Centuries*, Golden Gate Intern. Ex., San Francisco, 1939, No. 75, ill.; *Paintings by the Great Dutch Masters of the Seventeenth Century*, Duveen Galleries, New York, Oct. 8–Nov. 7, 1942, No. 9, pp. 25–26, ill. p. 100; *Night Scenes*, Wadsworth Atheneum, Hartford, Feb. 2–Mar. 4, 1943, No. 29; *Five Centuries of Dutch Art, Loan Exhibition of Great Paintings*, AAM, Montreal, Mar. 9–Apr. 9, 1944, No. 65, ill., p. 76; *Masterpieces of Religious Painting*, Chicago Art Institute, Jul. 15–Aug. 31, 1954; *Rembrandt*, Raleigh, 1956, No. 33; *The Golden Age of Dutch Painting*, Lyman Allyn Museum, New London, Conn., May 6–Jun. 10, 1962, No. 10

ref. Catalogues cited above/Catalogues des expositions citées; *Illustrated London News*, Aug. 7, 1937, p. 250; "America's first Karel Fabritius, *St. Peter's Escape*, goes to Providence," *Art N.*, 36, 18, Jan. 29, 1938, p. 8; "Dr. Dorner and Dutch Art in Rhode Island; *St. Peter's Flight from Prison*, by Karel Fabritius," *Mag. of Art*, 31, Mar. 1938, ill., p. 172; A. Dorner, "Newly Acquired Painting: *St. Peter's Flight from Prison*," *RISD Bul.*, 26, 2, April, 1938, p. 3–5, ill., cover/couverture; "RISD purchases *St. Peter's Flight From Prison*, by Karel Fabritius," *Art in America and elsewhere*, 26, 2, Apr. 1938, p. 90, ill., p. 91; "Account of American and Canadian Museums," *AQ.* 1, Spring, 1938, p. 142, ill.; *Parnassus*, 10, Dec. 1938, p. 27; J. W. Lane, "Notes from New York", *Apollo*, Aug. 1939, p. 71; A. Bredius, "Een vroeg werk van Carel Fabritius; *David ontvangt de Kroon en het armsieraad van Koning Saul*," *O-H*, 56, 1, 1939, ill., p. 12; Samuel Cauman, *The Living Museum, Experiences of an Art Historian and Museum Director—Alexander Dorner*, N.Y University Press, 1958, p. 136, 150, ill.

Museum of Art, Rhode Island School of Design, Providence

GOVAERT FLINCK
Kleve 1616–1660 Amsterdam

The great Dutch poet of the time, Joost van den Vondel, eulogized Govaert Flinck as the "Kleefsche Apelles", and if we consider his accomplishments by the yardstick of his master, Rembrandt, he had a brilliant career. About 1630 he was together with Jacob Backer as a pupil of Lambert Jacobsz. in Leeuwarden. From 1632 to 1635 he was in Rembrandt's studio and subsequently sustained a business relationship with Rembrandt. Like Bol, Backer and Eeckhout, Flinck was a fine draughtsman. The works shown in the exhibition are dated from 1640 to 1648, and it may be assumed from Rembrandt's etching of 1636 that the *Return of the Prodigal Son* from the North Carolina Museum of Art dates only slightly later. In portraiture there seems to be a swing away from Rembrandt's style again towards that of van der Helst. In 1656, 1657 Flinck designed the initial scheme for the decorations of the new Amsterdam city hall, one of the few great public commissions offered Dutch artists of the time. The theme, in eight large scenes, was concerned with the Rebellion of the Batavians. With Flinck's death in 1660, the project was completed by Jordaens, Lievens, Bol and Ovens.
Pupil 1632–1635

Le grand poète hollandais du temps, Joost van den Vondel proclamait Govaert Flinck "L'Apelle de Clèves". Même si on le compare à son maître, Rembrandt, on peut affirmer qu'il eut une brillante carrière. Vers 1630, il est, avec Jacob Backer, l'élève de Lambert Jacobsz. à Leeuwarden. De 1632 à 1635, il suit les leçons de Rembrandt et conserve par la suite des relations d'affaires avec son maître. Tout comme Bol, Backer et Eeckhout, Flinck est un habile dessinateur. Les oeuvres de cet artiste qui font partie de l'exposition furent exécutées entre 1640 et 1648, mais l'on peut croire, en étudiant l'eau-forte de Rembrandt, de 1636, que *Le Retour de l'Enfant Prodigue*, qui appartient au North Carolina Museum of Art, aurait été terminé peu de temps après cette date. Dans le portrait, cependant, le style de Flinck s'éloigne de celui de Rembrandt et se rapproche de celui de van der Helst. En 1656 et 1657, Flinck prépare le plan initial des décorations destinées à orner le nouvel Hôtel de Ville d'Amsterdam. C'est l'une des rares commandes importantes données par les autorités aux artistes hollandais du temps. Le thème choisi, "La Rébellion des Bataves" devait être illustré en huit grands tableaux. Après la mort de Flinck, en 1660, Jordaens, Lievens, Bol et Ovens complétèrent les travaux.

Elève 1632–1635

59. *Isaac Blessing Jacob   Isaac bénissant Jacob* (Genesis 27: 15–16)
47×56½ (117×141 cm)
s.d. *G. flinck 1638*, l.r./b.d.

sale/vente, G. van der Pot, Rotterdam, 1808; coll. National Museum, 's-Gravenhage

ex. *Rembrandt*, Chicago, 1935–1936, No. 16; *Rembrandt*, Worcester, No. 17; *Van Jeroen Bosch tot Rembrandt*, Brussel, 1946, No. 31, fig. 106; *Dutch Painting*, New York-Toledo-Toronto, 1954–55, No. 24; *Rembrandt*, Leiden, 1956, No. 50

ref. Catalogues cited above/Catalogues des expositions citées; Havard, *La Peinture Hollandaise*, Paris, 1881, p. 97, No. 17; O. Benesch, *G. Flinck, Meisterwerk d. Kunst in Holl, Rijksmuseum, Amsterdam*, Wien, 1921, ill.; W. Martin, *De Hollandsche Schilderkunst, Rembrandt en zijn tijd*, Amsterdam, 1936, p. 116, pl. 55; J. G. van Gelder, *Mededelingen Rijksbureau voor Kunsthistorische Documentatie*, 3, 1948, p. 27; *Bernt*, 1, No. 283; H. von Einem, *Rembrandt, Der Segen Jakobs*, Bonn, 1950, pp. 28–29, pl. 29 (Bonner Beitrage zur Kunstwissenschaft, Bank I); H. Gerson, "Het tijdperk van Rembrandt en Vermeer," *De Nederlandse schilderkunst*, Amsterdam, 2, 1952, pl. 38; *Rijksmuseum*, 1956, p. 71, No. 927; *Pigler*, 1, p. 55, ill.; J. Michalkowa, *Biuletyn Historii Sztuki*, Warszawa, 1957, p. 265; *Plietzsch*, p. 178, pl. 324; *von Moltke*, pp. 17, 66, No. 8, pl. I, II, III; *Rosenberg-Slive-ter Kuile*, p. 91, pl. 68A

Rijksmuseum, Amsterdam

GOVAERT FLINCK
60. *Girl Beside a Baby-Chair   Jeune Fille près d'une Chaise*
45¼×34⅝ (114,2×87,3 cm)
s.d. *G. Flinck f.1640*, on edge of chair at right/sur le bord de la chaise, à droite

coll. A.A. des Tombes, Den Haag, 1867, vente/sale Amsterdam 1860, H. W. Cramer, Cleve, 1860–1867; T. H. Blom Coster, Den Haag

ex. Amsterdam, 1872, No. 70; Den Haag, 1881, No. 132; Brussels, 1882, No. 66; Den Haag, 1890, No. 34; *Dutch Art*, RA, London, 1929, No. 365; *Rembrandt*, London, 1953, No. 34; *Children Painted by Dutch Artists, 1550–1820*, Walker Art Gallery, Liverpool, May–June 2, 1956, No. 15 (Edinburgh, Jun. 19–30; King's Lynn and/et Wisbech, Jul. 7–29; Leeds, Aug. 11–Sept. 1; RA, London, Sept. 8–29, 1956); *Het Kinderportret in de Rammelaar Museum Willet Holthuysen*, Amsterdam, 1958; *Flinck*, Kleve, 1965, p. 34, No. 44, ill.

ref. Catalogues cited above/Catalogues des expositions citées; Havard, *L'Art et les Artistes Hollandais*, Paris, 1880, 2, p. 160; W. Martin, *Altholländische Bilder*, edit. 2, Berlin, 1918, No. 49; *Plietzsch*. pp. 177–78, No. 323; *von Moltke*, No. 413; *The Illustrated*

London News, Feb. 21, 1953, p. 291, ill.; *The Illustrated London News*, May 12, 1956, p. 513, ill.

Koninklijk Kabinet van Schilderijen, Mauritshuis, Den Haag, 1903

GOVAERT FLINCK

61. *The Sacrifice of Manoah   Le Sacrifice de Manoah* (Judges/Juges 13, 2; 6–9; 17–22)
$29\frac{1}{4} \times 48\frac{3}{4}$ (74,3×12 cm)
s.d. *G. Flinck. f. 1640* l.c./b.c.

coll. Dr. van Hengel, Arnhem, *Katz*, Dieren, 1929; Dr. C. L. K. van Aalst, Hoevelaken, Holland, 1939; *Sotheby*, London, Dec. 4, 1960, No. 22

ex. *Flinck*, Kleve, 1965, p. 19, No. 4, ill.

ref. Catalogue cited above/Catalogues des expositions et ventes; *von Moltke*, p. 69, No. 19, pl. 10

Marshall Spink, London

GOVAERT FLINCK

62. *Portrait of a Man   Portrait d'un Homme*
pan. 36×29 (91,5×73,5 cm)
s.d. *G. Flinck, 1641*, l.r./b.d.

coll. Leon Birtschansky, Paris, 1936

ex. *Antique-dealers' Fair*, Museum Prinsenhof, Delft, 1968

ref. *von Moltke*, No. 308

S. Nystad, Den Haag

GOVAERT FLINCK

63. *Portrait of a Man   Portrait d'un Homme*
50×39 (127×101 cm)
s.d. *G. Flinck f. 1648*, ul./h.g.

coll. Lord Bruntisfield; *M. B. Asscher*, London, 1949; *P. de Boer*, Amsterdam, 1950; L. J. J. Verburg, Aerdenhout, Holland, 1950; Dr. H. Merlin, Schaan, Switzerland/ Suisse

ex. *Flinck*, Kleve, 1965, p. 34, No. 45; *17th Century Flemish and Dutch Paintings*, Kalamazoo Institute of Arts, Kalamazoo, Mich., Oct. 8–Nov. 12, 1967, p. 10; *Dutch Art of the 1660s*, Paine Art Center and Arboretrum, Oshkosh, Wisc., Sept. 24–Oct. 30, 1968, No. 9

ref. Catalogues cited above/Catalogues des expositions citées; *von Moltke*, No. 456, ill.

Milwaukee Art Center Collection, gift of/don de Dr. & Mrs. Alfred Bader, Milwaukee

GOVAERT FLINCK

64. *Portrait of a Woman   Portrait d'une Femme*
50×39 (127×101 cm)
s.d. *G. Flinck, f. 1648*, u.l./h.g.

coll. Lord Bruntisfield; *M. B. Asscher*, London, 1949; *P. de Boer*, Amsterdam, 1950; L. J. J. Verburg, Aerdenhout, Holland, 1950; Dr. H. Merlin, Schaan, Switzerland, 1963

ex. *Flinck*, Kleve, 1965, p. 34, No. 46; *17th Century Flemish and Dutch Paintings*, Kalamazoo Institute of Arts, Kalamazoo, Mich., Oct. 8–Nov. 12, 1967, p. 10; *Dutch Art of the 1660s*, Paine Art Center and Arboretrum, Oshkosh, Wisc., Sept. 24–Oct. 30, 1968, No. 9

ref. Catalogues cited above/Catalogues des expositions citées; *von Moltke*, No. 457, ill.

Milwaukee Art Center Collection, gift of/don de Dr. & Mrs. Alfred Bader, Milwaukee

GOVAERT FLINCK

65. *The Return of The Prodigal Son   Le Retour de l'Enfant prodigue*
$52\frac{1}{2} \times 67$
c. 1640

coll. Justine van Baerle (widow of David Becker/veuve de David Becker), Amsterdam; Sir Francis Frederick, and/et Sir Herbert Cook, Richmond, England, cat. No. 257 (as/comme Rembrandt)

ex. *Rembrandt*, RA, London, Jan. 2–March 11, 1899, No. 89 (as/comme Rembrandt); *Rembrandt*, Raleigh, 1956, No. 35, ill.; *Flinck*, Kleve, 1965, No. 9, ill.

ref. Catalogues cited above/Catalogues des expositions citées; A. Bredius, "De Rembrandt-tentoonstelling te London", *De Amsterdammer*, Weekblad voor Nederland, 1899, p. 23 (as/comme Flinck); C. Hofstede de Groot, "The Rembrandt Exhibition in London," *Repertorium für Kunstgeschichte*, 22, 2, 1899, p. 164; A. Bredius, *Zeitschrift für Bildende Kunst*, 10, 1899, p. 304; C. Hofstede de Groot, *Thième-Becker*, 12, p. 98; M. W. Brockwell, "The Cook Collection, II—the Flemish and Dutch Schools," *The Connoisseur*, 48, 1917, p. 28; W. R. Valentiner, *Catalogue of Paintings*, NCMA, Raleigh, 1956, No. 48, ill.; *von Moltke*, pp. 27, 76–77, No. 52, ill. pl. 9

North Carolina Museum of Art, Raleigh

AERT DE GELDER
Dordrecht 1645–1727 Dordrecht

De Gelder began his studies under Samuel van Hoogstraten, himself a former Rembrandt pupil; he came to Rembrandt in 1661 and remained to 1667. He is considered to be the most faithful to Rembrandt's style and if one remembers that this student was witness to the creation of Rembrandt's last great works it is not hard to understand why. After his association with Rembrandt he returned to Dordrecht and continued to work in Rembrandt's late style. His pictures never achieved the same sense of space as Rembrandt's but his use of flat planes of colour often applied with a palette knife was very effective. As his style, with its painterly toning, was not in vogue, he was forgotten for many years. Few drawings are known and none of them are signed. His themes were of a biblical-mythological nature or portraits.
Pupil 1661–1667

De Gelder étudie d'abord avec Samuel van Hoogstraten, lui-même élève de Rembrandt; il entre ensuite à l'atelier de Rembrandt et y demeure jusqu'en 1667. Il est l'élève qui reste le plus fidèle au style du maître et aussi celui qui assiste à la création de ses dernières grandes oeuvres. Après avoir quitté Rembrandt, il rentre à Dordrecht et continue d'y travailler dans la manière des dernières années du maître. Cependant, il ne réussit pas comme Rembrandt à créer dans ses tableaux l'illusion de l'espace, mais il obtient des effets saisissants par l'usage de couleurs posées à plat, souvent à l'aide du couteau de palette. Comme sa technique de l'application de la couleur n'était pas selon les goûts de l'époque, il fut oublié pendant de nombreuses années. On connaît de lui peu de dessins et aucun qui soit signé. Il peint de préférence des scènes bibliques et mythologiques ou des portraits.
Elève 1661–1667

66. *The Forecourt of a Temple   Le Parvis du Temple*
$27\frac{13}{16} \times 35\frac{13}{16}$ (70,7×91 cm)
s.d. *A. De Gelder 1679*, at left on pier/à gauche sur pilier

coll. Perhaps identical with a picture which was described in the inventory of the artist as "ein Opfer" (sacrifice)/peut-être identique à une composition décrite dans l'inventaire de l'artiste sous le titre "ein Opfer" un sacrifice); sale/vente, Seger Tierens, Den Haag, Jul. 23, 1743 (*Hoet*, 2, 103, No. 101, fl. 45); van Bremen, Haag (1752, *Hoet*, 2, No. 486); sale/vente, Duke of Buckingham, Stowe, Aug. 15, 1848, No. 408 (42 to *Anthony*); Whatman, 1857; *Lesser*, London, 1887; *J. Porgès*, Paris to/à 1911; *F. Kleinberger & Cie*, Paris

ex. Manchester, 1857, No. 672; Paris, 1911, No. 36; *Exposition hollandaise*, Paris, 1921, No. 12; *Dutch Art*, RA, London, 1929, No. 275; Brussel-Antwerp, 1946, No. 33; *Art Treasures*, Manchester, 1957

ref. Catalogues cited above/Catalogues des expositions citées; *Hoet*, 2, pp. 103, 486; Descamps, *La Vie des Peintres*, 1760; van Burger, *Trésors d'art en Angleterre*, 1865, p. 256; G. H. Veth, "Aanteekeningen Omtrent Eenige Dordrechtsche Schilders, XVI, Aert de Gelder," *O-H*, 6, 1888, p. 186, W. Martin, *Monatshefte für Kunstwissenschaft*, 1911, X; K. Lilienfeld, "Rundschau, Sammlungen, Haag," *Cicerone*, 4, 1912, p. 140 ff., W. Martin, *Bulletin van den Ned. Oudheidkundigen Bond*, 1912, No. 1; *Lilienfeld*, pp. 171–172, No. 111, fig. 3; *Plietzsch*, No. 336, *Catalogue*, coll. No. 737

Koninklijk Kabinet van Schilderijen, Mauritshuis, Den Haag, Gift of/don de F. Kleinberger

AERT DE GELDER
67. *Simeon in The Temple   Siméon au Temple*
$32\frac{1}{4} \times 26\frac{3}{8}$ (82×67 cm)
s.d. *1685*

coll. Jacques de Roore, Den Haag, 1747; Willem Frank, Holland; sale/vente, Willem van Wouw, Den Haag, May 29, 1767; *van Diemen*, Berlin; Mrs. Haas, Detroit; R. Doyes, 's-Graveland, Holland

ex. *Kölner Kunstverein*, Köln, 1930, No. 24, ill. No. 38; Nathan Katz, Düren, Deutschland, 1938, No. 32; *Arti et amicitiae*, Amsterdam, May–Jun., 1938, No. 5; *Bijbelse Kunst*, Rijksmuseum, Amsterdam, 1939, p. 3, No. 2389, ill. No. 23; *Appendice Collezione 1963*, *Galleria P. de Boer*, Mostra Mercato dell'Antiquariato, Palazzo Strozzi, Firenze, Sept. 14–Oct. 14, 1963, No. 47, ill.

ref. Catalogues cited above/Catalogues des expositions citées; G. Hoet, *Catalogus of Naamlyst van schilderyen, met derzelver pryzen . . .*, 's-Gravenhage, 1752–70, p. 213, No. 197; Terwesten, 361, No. 58 (fl. 43); *Lilienfeld*, No. 51, 52

Kunsthandel P. de Boer, Amsterdam

AERT DE GELDER
68. *Portrait of a Man (an Actor?)   Portrait d'un Homme (un Acteur?)*
$31\frac{1}{4} \times 25\frac{3}{4}$ (79,4×65,4 cm)
s.d. *A. de Gelder f. 1689*, l.r./b.d.

coll. *Goudstikker*, Amsterdam, 1926; William A. Fisher, Detroit

ex. *Masterpieces of Art*, DIA, Detroit, 1941, No. 20

ref. Catalogue cited above/Catalogue de l'exposition citée

E. P. Richardson, "Augmented Return Engagement and Positive Farewell Appearance of the Masterpieces of Art from Two World's Fairs," *Art N.*, 40, May 1, 1941, p. 17

The Detroit Institute of Arts, Gift of/don de, Mr. & Mrs. William A. Fisher, Detroit

AERT DE GELDER

69. *Abraham and the Angels   Abraham et les Anges*
43 11/16 × 68½ (111 × 174 cm)
s., in later hand/signature ultérieure, *Rembrandt f.*

coll. Madame Legrand, Pecq; Bourgeois, Paris, 1890; Charles T. Yerkes, New York; Dr. Naumann, Leipzig, 1915

ex. *Exposition hollandaise*, Paris, avril–mai, 1921, No. 10; *Bijbelsche Kunst*, Rijksmuseum, Amsterdam, Jul. 8–Oct. 8, 1939, No. 96

ref. Catalogues cited above/Catalogues des expositions citées; L. Gonse, "Le Rembrandt du Pecq," *GBA*, avril 1890, pp. 324–26; A. Thierry, *Revue générale*, mars 1890; *Michel*, p. 495; *Lilienfeld*, p. 125, No. 1, ill.; F. Schmidt-Degener, *Oude Kunst*, Haarlem, 1916, pp. 387–88; F. Schmidt-Degener, *Zeitschrift für Bildende Kunst*, 1916, pp. 328 ff; O. Benesch, "Eine Zeichnung von Aert de Gelder," *Mitteilungen der Gesellschaft für vervielfaltigende Kunst*, 1923, p. 3; J. Byam Shaw, *Old Master Drawings*, 4, 1929–30 p. 11, note 2; W. Martin, *De Hollandsche Schilderkunst in de XVIIe eeuw, 2, Rembrandt en zijn tijd*, Amsterdam, 1936, p. 140; C. Veth, *de Nederlandse Schilderkunst in Vogelvlucht*, 1948, ill. p. 112; G. Bazin, *Les grands maîtres hollandais*, Paris, 1950, ill. p. 53; W. Martin, *De Schilderkunst in de Tweede helft van de zeventiende eeuw* (Nederland's kunstbezit in musea bijengebracht), Amsterdam, 1950, No. 32, ill.; H. Gerson, *Openbaar-Kunstbezit*, 9, 1965, No. 25; J. Foucart, *Musées de Hollande; La Peinture Néerlandaise*, 1965, dossier 31; *Rosenberg-Slive-ter-Kuile*, p. 99; Museum Boymans-van-Beuningen, *Catalogue Schilderijen tot 1800*, Rotterdam, 1962, p. 55 (Inv. 1229)

Museum Boymans-van Beuningen, Rotterdam

AERT DE GELDER

70. *Esther and Mordecai Writing Letters to the Jews*
Esther et Mardochée écrivant des lettres aux Juifs (Esther 9)
23½ × 56½ (59,7 × 143,5 cm)

coll. Sanford (as/comme Bol) and called/et intitulé, *The Misers*; Meyer Reifstahl, 1917

ex. MMA, New York, before/avant 1921; *Rembrandt*, Chicago, 1935–1936, No. 18; *Rembrandt*, Worcester, Feb. 4–Mar. 1, 1936, No. 19; *Rembrandt*, Raleigh, 1956, No. 46; *The Hebrew Bible in Christian and Muslim Art*, The Jewish Museum, New York, Feb. 18–Mar. 24, 1963, No. 114

ref. Catalogues cited above/Catalogues des expositions citées; L. E. Rowe, "A Painting by Aert de Gelder," *Bulletin*, RISD, 9, 1921, pp. 38–39, ill.; *Treasures in the Museum*, *Rhode Island School of Design*, Providence, 1956, ill.

Museum of Art, Rhode Island School of Design, Providence

AERT DE GELDER

71. *An Allegory of Abundance   Allégorie de l'Abondance*
69¼ × 43¾ (176 × 111,2 cm)
s. *A. Gelder f.*

coll. Clark, London; Pierce, Glasgow; M. van Gelder, Uccle

ex. *Dutch Art*, RA, London, 1929, No. 269; *Meesterwerken uit vier eeuwen 1400–1800*, Museum Boymans, Rotterdam, Jun. 25–Oct. 15, 1938, No. 74, ill. p. 96, fig. 148; *Dutch Exhibition*, RISD, Providence, 1938, No. 14, pl. 14; Springfield, Mass., 1941; *Rembrandt*, Raleigh, 1956, No. 43, ill.; *Exhibition of Dutch Seventeenth Century Paintings*, H. Shickman Gallery, New York, Oct., 1967, No. 1, ill.
Catalogues cited above/Catalogues des exposition citées

ref. *Lilienfeld*, No. 129, p. 177

H. Shickman Gallery, New York

72. *Rest on the Flight into Egypt   Le Repos pendant la Fuite en Egypte*
43¼×46½ (109,8×118 cm)

coll. Esterhazy (Galerie Grafen Esterhazy in Nordkirchen, No. 64), Nordkirchen, between/
entre, 1859–1904; Dukes of Arenberg, Brussels, 1904–1956

ex. *International Exhibition*, Dusseldorf, 1904, No. 303; Rembrandt, San Francisco,
1966–67, No. 97, ill.

ref. Catalogues cited above/Catalogues des expositions citées; *Lilienfeld*, p. 148, No. 53

Museum of Fine Arts, Boston. Fund/fond Maria T. B. Hopkins

JAN DAVIDSZ. DE HEEM
Utrecht 1606–1684 Anvers/Antwerp

He was a pupil of David de Heem and Balthasar van der Ast in Utrecht. From
1628 to 1632 he lived in Leiden and from the beginning specialized in still life.
Together with Harman Steenwijk, Pieter Potter and Pieter Claesz, he belongs to a
group whose influence upon Rembrandt and pupils of his Leiden period is
apparent in the frequent almost excessive inclusion of still life in biblical or
allegorical compositions. The works of this period are usually painted in browns
and greys and the large brilliantly coloured compositions do not appear until his
Antwerp period. From Leiden he moved to Utrecht (1632 to 1635) and finally
settled in Antwerp. He is said to have collaborated with Lievens and had numerous
pupils, his son Cornelis de Heem, Jacob Rootius, Abraham Mignon and one of the
few female artists of the day, Maria van Oosterwijk.
Not a pupil

Il est élève de David de Heem et de Balthasar van der Ast, dans sa ville natale.
De 1628 à 1632, il habite Leyde. Avec Harmen Steenwijk, Pieter Potter et Pieter
Claesz, il forme un groupe dont l'influence sur Rembrandt et ses élèves de Leyde
se révèle par l'abondance, parfois même l'abus des natures mortes dans les compositions bibliques ou allégoriques. Durant cette période, il se limite presqu'uniquement aux gris et aux bruns. Ce n'est qu'au cours des années d'Anvers qu'apparaî-
tront les toiles aux couleurs brillantes. De Leyde, il se dirige vers Utrecht et
s'établit enfin à Anvers. On croit qu'il collabora avec Lievens. Il eut de nombreux
élèves, entre autres, son fils Cornélis de Heem, Jacob Rootius, Abraham Mignon
et l'une des rares femmes-peintres du temps, Maria van Oosterwijk.
N'étudia pas avec Rembrandt

73. *Still Life: Vanitas   Nature Morte: Vanitas*
pan. 12⅞×16¾ (32,7×42,5 cm)
mono. *dH*, below ledge of table towards left/sous le rebord de la table vers la gauche
c. 1635

coll. Sir William Van Horne, Montreal; Miss Adaline Van Horne, Montreal

ex. *Van Horne Collection*, AAM, Montreal, 1933, No. 34a

ref. W. R. Valentiner, "A Still Life by Jacques de Gheyn," *AQ.*, Summer 1955, p. 160;
Hubbard, 1, p. 151; MMFA/MBAM, *Handbook/Recueil*, Montreal, 1960, p. 63; J. Steegman, *Montreal Museum of Fine Arts, Catalogue of Paintings*, p. 74, No. 882.

MMFA/MBAM bequest/legs, Miss Adaline Van Horne, 1945

SAMUEL DIRKSZ. VAN HOOGSTRATEN

Dordrecht 1627–1678 Dordrecht

One of the most fascinating artists of his time, he was also a poet and author of a tract on the art of painting titled the *Inleyding tot de Hooge Schoole der Schilderkunst*, 1678, in which some of his own and Rembrandt's theories are presented. Together with Constantijn van Renesse, he entered Rembrandt's studio shortly after 1640, and remained until 1641 to 1642. By 1648 he is again in Dordrecht living with his sister Digna; in 1651 he made his famous trip via Frankfurt, Augsburg and Regensburg to Vienna. At the court of Ferdinand III and his Empress he presented two works and was recognized with the gifts in return of "een Goude Keten, en Pronk-Medalie," etc. From Vienna he went to Rome where he was associated with the Bent, the Netherlandish artist's group: he was again in the Netherlands in 1654. In 1662 he visited England, and a few years later he settled again in Dordrecht. Up to his trip of 1651 his style is related to Rembrandt's, but afterwards his interests are those concerned with architecture, space and perspective. There is a Self-portrait in the Bredius Museum in the Hague of 1645. In his full life he could claim his brother, Jan van Hoogstraten, Jan Victors, Carel Fabritius and Aert de Gelder as pupils—the last three of whom went on to study with Rembrandt.

Pupil 1640/41–1641/42

L'un des artistes les plus intéressants de son temps, il est aussi un poète et l'auteur d'un petit traité sur l'art de peindre intitulé *Inleyding tot de Hooge Schoole der Schilderkunst*, publié en 1678 et dans lequel il expose ses théories et celles de Rembrandt. Il entre dans l'atelier de Rembrandt peu après 1640, en même temps que Constantijn van Renesse et y demeure environ un an. Vers 1648, il est revenu à Dordrecht où il habite avec sa soeur Digna. En 1658, il fait son célèbre voyage à Vienne en passant par Francfort, Augsbourg et Regensbourg. Il présente deux oeuvres à la cour. En reconnaissance, Ferdinand III et l'impératrice lui offrent une chaîne d'or et une médaille précieuse. De Vienne, il se dirige vers Rome où il s'associe au groupe de peintres néerlandais appelé "Bent". En 1654, il est de retour dans les Pays-Bas. Il visite l'Angleterre en 1662 et, quelques années plus tard, s'installe de nouveau à Dordrecht. Jusqu'à son voyage de 1651, son style s'inspire de celui de Rembrandt, mais, par la suite, ses préoccupations le portent vers l'architecture et les problèmes d'espace et de perspective. Le musée Bredius à La Haye possède de lui un autoportrait daté de 1645. Au cours de sa vie bien remplie, il eut pour élèves son frère, Jan van Hoogstraten, Jan Victors, Carel Fabritius et Aert de Gelder. Ces trois derniers devinrent, par la suite, élèves de Rembrandt.

Elève 1640/41–1641/42

74. *Perspective Box of a Dutch Interior   Intérieur hollandais en Trompe-l'Oeil*
box/boite, pan. 16½×12, diameter/diamètre, 11¼ (41,9×34,5×28,6 cm)
d. over door/sur la porte r.c./c.d.; 1663
insc. *Memento Mori* over door in center rear/sur la porte centrale
coll. *Douwes*, Amsterdam, 1935

ex. *Trompe-l'Oeil*, Julian Levy Gallery, New York, 1938, No. 59; *Illusionism and Trompe-l'Oeil*, Palace of the Legion of Honor, San Francisco, May 3–June 12, 1949, p. 55, ill.; *Life in Seventeenth Century Holland*, Wadsworth Atheneum, Nov. 21, 1950–Jan. 14, 1951, p. 26, No. 66, ill. pl. XIV; *Rembrandt*, Raleigh, 1956, No. 48; *The Art That Broke the Looking Glass*, Dallas Museum for Contemporary Art, 1961, No. 51; *Fêtes de la Palette*, Isaac Delgado Museum, New Orleans, 1962, No. 37

ref. Catalogues cited above/Catalogues des expositions citées; R. H. Wilenski, *An Introduction to Dutch Art*, London, 1929, pl. III, pp. 264–267 (as/comme Hoogstraten) E. P. Richardson, "Samuel van Hoogstraten and Carel Fabritius," *Art in America*, 25, 1937, p. 141, ill.; E. P. Richardson, *The DIA Catalogue of Paintings*, Detroit, 1944, p. 64, No. 570; *Rosenberg-Slive-ter Kuile*, p. 94; S. Koslow, "De wonderlijke Perspectyfkas: An Aspect of Seveenth Century Dutch Painting," *O-H*, 82, 1–2, 1967, pp. 32–56, No. 4 Anonymous, *View of a Large Room*, figs. 14, 15

The Detroit Institute of Arts, Founder's Society and Membership and Donations Fund

SAMUEL DIRKSZ. VAN HOOGSTRATEN
75. *Young Woman Sleeping   Jeune Femme au Repos*
41×38 (104,1×96,5 cm)
c. 1644
Based on similarity to one in The Hague, which is signed and dated 1644/D'après sa ressemblance avec un tableau de La Haye, signé et daté de 1644, *Young Woman Reading/ Jeune Femme lisant*, Bredius Coll.

coll. *Agent*, Paris, 1950; *John Nicholson Gallery*, New York; Horace P. Wright 1951

ref. F. B. Robinson, "New Dutch Painting", *Springfield Museum of Fine Arts Bulletin*, 18, 2, Dec. 1951–Jan. 1952, p. 2, ill.; *Springfield Museum of Fine Arts Bulletin*, 18, 4–5, Apr./June, 1952, p. 4; "Seventeenth Century Dutch Collection", *The Connoisseur*, Jun. 1963,, pp. 136–137

Museum of Fine Arts, Springfield

ISAAC DE JOUDERVILLE

Leiden/Leyde 1613–c. 1645 Amsterdam

The years 1629 to 1631 find the artist studying with Rembrandt in Leiden and following him to Amsterdam. The six receipts given by Rembrandt in acknowledgement of the 100 guilders paid per annum as tuition form an important record of Rembrandt's business practices. De Jouderville according to one source spent 1632 in study at his father's birthplace, Metz, and in the same year married Marie Lefevre. He was subsequently active in Deventer and Amsterdam. His works, either small biblical scenes or single life-size studies of characters strongly reflect Rembrandt's early style. Few works are known by him.
Pupil 1629–1631

Au cours des années 1629–1631 on voit l'artiste débuter comme apprenti à Leyde, puis suivre Rembrandt à Amsterdam. Les six reçus que Rembrandt lui donna en reconnaissance de la somme de 100 florins, le prix des leçons pour une année, constituent un document important sur la façon dont Rembrandt conduisait ses affaires. Si l'on en croit une chronique, De Jouderville aurait passé l'année 1632 à étudier à Metz, la ville natale de son père. La même année il épouse Maria Lefèvre. Il travaille par la suite à Deventer et à Amsterdam. Ses oeuvres, qu'elles représentent des scènes bibliques de petit format ou des études de caractères grandeur nature, portent la marque du style des permières années de Rembrandt. On connaît peu d'oeuvres de cet artiste.

Elève 1629–1631

76. *Kitchen Interior   Intérieur d'une Cuisine*
14×18½ (35,5×47 cm)
s.

coll. *Julius Weitzner*, London
E. W., New York

BERNHARDT KEIL
Helsingör 1624–1687 Rome

"Monsu Bernardo" as he was known in Italy is known essentially through his Italian period productions. The broad brushwork of these biblical, allegorical and genre scenes suggests that he did not rely on preliminary drawings. Keil, along with the German, Christoph Paudiss, studied with the master from 1642 to 1644 following Bol and Eeckhout; he stayed in Amsterdam until 1651 when he left for Italy. He was the primary source for Filippo Baldinucci's biography of Rembrandt and it provides us with reasonably accurate information for the years up to 1651. Like van Hoogstraten, one cannot discern anything of Rembrandt's own style in Keil's work after 1651; it is a style derived from north Italian masters such as Feti and Strozzi.

Pupil 1642–1644

La réputation de Bernhardt Keil, "Monsu Bernardo," comme on l'appelait en Italie, est due surtout aux oeuvres de son époque italienne. Le coup de pinceau fougueux qui marque ses scènes bibliques, allégoriques, et ses tableaux de genre, semble indiquer que l'artiste ne faisait pas de dessins préparatoires. Keil, ainsi que l'allemand Christoph Paudiss, fut élève de Rembrandt de 1642 à 1644, après le départ de Bol et d'Eeckhout. Il reste à Amsterdam jusqu'à 1651 date de son départ pour l'Italie. La biographie de Rembrandt que nous a laissée Filippo Baldinucci se base essentiellement sur les informations fournies par Keil sur la vie du maître jusqu'en 1651. Les peintures de Keil, comme celles de Hoogstraten d'ailleurs, se séparent du style de Rembrandt après cette date. Tous deux adoptent le style des maîtres de l'Italie Septentrionale, comme Feti et Strozzi.

Elève 1642–1644

77. *The Parable of the Labourers in a Vineyard   La Parabole des Travailleurs dans une Vigne*
37×51 3/16 (94×130 cm)
coll. Prince Antici Mattei, Rome 1951; *S. Nystad*, The Hague, 1968

ref. R. Longhi, "Monsu Bernardo," *Critica d'Arte*, 3, Sansoni, Firenze, 1939; H. Gerson, *Ausbreitung und Nachwirkung der Holländischen Malerei des 17, Jahrhunderts*, Haarlem, 1942, p. 462; Weilbach, *Kunstlerleksikon*, 2, København, 1949, p. 117; A. Konst, *Frida och Hugo Engelsons Samling*, Malmö, 1967, pl. 21

MMFA/MBAM. Purchased/acquis, 1968. Bequest/legs, Horsley & Annie Townsend

BERNHARDT KEIL
78. *Allegory of Winter*   *Allégorie de l'Hiver*
39×28 (99×71,1 cm)

coll. Ch. A. de Burlet, Berlin/Basel

Paul Drey Gallery, New York

BERNHARDT KEIL
79. *Children Playing with Pigeons*   *Enfants jouant avec des Pigeons*
28⅜×35⅛ (72,1×89,5 cm)

ref. Certificate, Dr. Hermann Voss

Schaeffer Galleries, New York

PHILIPS KONINCK
Amsterdam 1619–1688 Amsterdam

Following the death in 1639 of his father, Aert Coninck, a goldsmith, Philips (de) Koninck paid for a half year tuition with his older brother Jacob who lived in Rotterdam. At the end of 1640 he married the sister of Abraham Furnerius, a fellow Amsterdam artist known primarily for his landscape drawings. (*The Landscape with Cottages*, 1654, by Rembrandt is closely related to Furnerius' own style.) While Furnerius became a pupil of Rembrandt in 1640, it is not certain that anything more than an active and friendly artistic relationship existed between Rembrandt and Koninck; although Houbraken claimed a master-pupil relationship for him. Certainly he was again in Amsterdam in 1641, and his *Bathsheba Receiving Letter and Jewels* of 1642 (Los Angeles County Museum) supports such a relationship. However, Koninck operated a ship transport service covering Amsterdam, Leiden and Rotterdam; it was undoubtedly through this activity that he became known as the view painter of Holland. With a second marriage in 1657 to Margaretha van Rhyn the business extended to Gouda. His friend the poet, Joost van der Vondel, owned paintings by him dating from 1656 to 1674. Interior evidence, that is to say, subjects in dated works indicate that in 1669 he made a trip to Italy. His range of subjects extended from portraits to biblical, historical, genre and landscape painting; his dated works are from 1643 to 1681. His last dated landscape, 1676, is shown here. Lievens and Rembrandt were important early influences. His late portrait style was similar to that of the Van Dyck influenced Lievens and Jan de Baen.

Possibly a pupil 1641

A la mort de son père, l'orfèvre Aert Coninck, survenue en 1639, Philips (de) Koninck paya les frais d'un semestre d'études chez son frère aîné Jacob, domicilié à Rotterdam. Vers la fin de l'année 1640 il épouse la soeur d'Abraham Furnerius, un collègue d'Amsterdam, dont la réputation repose sur ses paysages (*Le Paysage avec Chaumières*, 1654, par Rembrandt est proche du style de Furnerius). Nous savons que Furnerius devint élève de Rembrandt en 1640. Par contre, les relations entre Rembrandt et Koninck se sont limitées, sans doute, à une bonne amitié fondée sur leur amour de l'art. Houbraken, cependant affirme qu'il fut élève de

Rembrandt. Koninck se trouvait, en effet, à Amsterdam en 1641 et la thèse de Houbraken est renforcée par le style de son tableau, *Bethsabée Recevant la Lettre et les Bijoux*, datée 1642 (Los Angeles County Museum).

Koninck, d'autre part, dirigeait un service de transport par bateau entre Amsterdam, Leyde et Rotterdam. Cette activité lui donnait de toute évidence l'occasion de se consacrer au paysage et il devint un des principaux paysagistes de Hollande. Il épousa en secondes noces, en 1657, Margaretta van Rhyn. A la même époque, son service de transport s'étendit au port de Gouda. Son ami, le poète Joost van den Vondel, possédait des tableaux de Koninck datés de 1656 à 1674. A en juger par les sujets traités dans des oeuvres datées avec précision, il fit un voyage en Italie en 1669. Il s'adonna au portrait, aux scènes bibliques et historiques, aux tableaux de genre et au paysage. Sa production s'étend de 1643 à 1681.

Sa dernière oeuvre datée, un paysage de 1676, fait partie de l'exposition. Il subit d'abord l'influence de Lievens et de Rembrandt, mais dans les portraits peints sur la fin de sa vie il s'appuie sur le style de van Dyck filtré par Lievens et Jan de Baen.

Possiblement élève vers 1641

80. *Landscape   Paysage*
$36\frac{3}{8} \times 44\frac{1}{16}$ (92,5 × 112 cm)
s.d. *P. Koninck 1676*

Sale/vente, Baron van Nagell van Ampsen, Den Haag, 1851; L. Dupper Wz., Dordrecht, 1870

ex. *Meisterwerke Holländischer Landschaftsmalereri des 17. Jahrhunderts*, Köln, 1954, No. 13, pl. 8

ref. H. Gerson, *Philips Koninck*, Berlin, 1936, p. 35, No. 2, pl. 15; *Plietzsch*, H. Kühn, *Jahrbuch der Staatlichen Kunstsammlungen*, Baden-Württemberg, 1965, p. 208

Rijksmuseum, Amsterdam. Bequest/legs, L. Dupper Wz.

PHILIPS KONINCK
81. *Interior of an Inn   Intérieur d'Auberge*
$27 \times 33\frac{1}{2}$ (68,6 × 85 cm)
s.d. *P. Koninck. 1656*

coll. Wilbraham, Northwick, sale/vente, London, Jul. 8, 1930, No. 20

ex. Rijksmuseum, Amsterdam, 1936, No. 88

ref. H. Gerson, *Philips Koninck*, Berlin 1936, p. 51, cat. No. 168

H. Schickman Gallery, New York

PHILIPS KONINCK
82. *The Toast   Le Toast*
$21\frac{1}{2} \times 24$ (54,6 × 61 cm)

sale/vente, Lord Cadogan (as/comme Terborgh)

E. W., New York

SALOMON KONINCK
Amsterdam 1609–1656 Amsterdam

Son of the goldsmith, Pieter de Coninck, he was the cousin of Philips Koninck. Apprenticed in 1621 to David Colyns, François Venant and Nicolaes Moeyart, his experience was similar to that of Rembrandt. In 1630 he was a member of the painters guild, the Guild of St. Luke in Amsterdam. By 1633 he had succumbed to all the traits which we associate with Rembrandt's painting of the date, the manipulation of light and shade, the character types and fantastic costumes. Koninck was also an etcher. In 1653 Bernard van Vollenhove was his pupil, and in 1656 he married Abigail, daughter of the artist Adriaen van Nieulandt. He died in 1656.

Not a pupil

Fils de l'orfèvre Pieter de Conninck, il était le cousin de Philips Koninck. Il commence son apprentissage en 1621 chez David Colyns, François Venant et Nicolas Moeyart, et suit en général les pas du jeune Rembrandt. En 1630 il est accepté à la guilde des peintres, la Guilde de Saint-Luc à Amsterdam. Ses tableaux reflètent, à partir de 1633, la plupart des aspects du style de Rembrandt de la même époque, en particulier le jeu de lumière et d'ombre, le choix des sujets et l'emploi de costumes fantaisistes. Koninck fut aussi un graveur à l'eau forte. En 1653, Bernard van Vollenhove entre à son atelier en qualité d'élève. Trois ans plus tard Koninck épouse Abigail, la fille de l'artiste Adriaen van Nieulandt. Il meurt la même année.

N'étudia pas avec Rembrandt

83. *A Jewish Philosopher   Un Philosophe juif*
21×18 (53,3×45,7 cm)

coll. Lady Denbigh, 1785; *Charles Sedelmeyer*, Paris (Rembrandt); Dutch Private Collection/collection particulière, Hollande

Mr. and Mrs. Alan Kantrowitz, New York

PIETER PIETERSZ. LASTMAN
Amsterdam 1583–1633

According to Carel van Mander, Lastman was a pupil of Gerrit P. Sweelink, and was trained in the mannerist style of the generation of Joachim Wyttewael, Cornelis van Haarlem and Goltzius. Lastman brought something new to the Dutch artistic scene and to Rembrandt. In 1603 he went to Rome (Houbraken 1, 132) and sometime between 1605 and 1607 he returned and settled again in Amsterdam. The contemporary chroniclers, Orlers, Sandrart and van Hoogstraten all recorded him fully and his pictures brought prices as high as 900 guilders. His experience, his system, his interests he passed on to his two most distinguished pupils Rembrandt and Lievens. Lastman had absorbed a vast vocabulary from his Italian experiences; one may give him full marks for his searching scrutiny of Raphael, Michelangelo, Titian, the Bassani, the Carracci, Fetti, and the northerners Rubens and Elsheimer. Strongly coloured clear figures often grouped as single forms set in landscapes with classical structures characterize his historical, mythological and religious pictures. His drawings frequently have a more lively quality than his pictures. His successful financial example may have convinced Rembrandt that he too could make the grade as a history painter.

Teacher of Lievens 1617–1619
Teacher of Rembrandt 1624–1625

D'après Carel van Mander, Lastman fut élève de Gerrit P. Sweelinck, et formé dans le style maniériste de la génération de Joachim Wyttewael, Cornelis van Haarlem et Goltzius. Lastman apporte des innovations sur la scène artistique hollandaise et influence Rembrandt. En 1603 il va à Rome (Houbraken 1, 132) et, entre 1605 et 1607, retourne s'installer à Amsterdam. Les chroniqueurs contemporains, Orlers, Sandrart et van Hoogstraten s'occupent de lui et nous informent que ses peintures atteignent des prix aussi élevés que 900 florins. Son expérience, sa méthode, ses intérêts, il les passa à ses deux meilleurs élèves, Rembrandt et Lievens. Lastman se rendit maître d'un vocabulaire tiré de ses expériences italiennes. On lui accorde beaucoup de mérite du fait de ses études approfondies de Raphael, de Michel-Ange, du Titien, du Bassane, de Carracci, de Fetti, et des artistes septentrionaux, Rubens et Elsheimer. Dans une couleur vive et par un dessin pur il crée des figures souvent groupées en unités dans des paysages aux structures classiques. Il se caractérise par ses peintures historiques, mythologiques et religieuses. Ses dessins fréquemment ont plus de vie que ses peintures. L'exemple de son succès financier pourrait avoir convaincu Rembrandt qu'il avait intérêt, lui aussi, à devenir un bon peintre d'histoire.

Maître de Lievens de 1617–1619
Maître de Rembrandt de 1624–1625

84. *St. Matthew and the Angel   Saint Mathieu et l'Ange*
pan. 14×10½ (35,5×26,7 cm)
s.d. *P. Lastman fecit, 1613* l.c./b.c.

coll. *John Mitchell & Son*, London

ref. "Fine Works on the Market," *Apollo*, 69, 410, Apr. 1959, p. 129, ill.

Museum of Art, Rhode Island School of Design, Providence

PIETER PIETERSZ. LASTMAN
85. *The Sacrifice of Manoah   Le Sacrifice de Manoah*
25½×20½ (66×53 cm)
mono. d. *PL. 1627*

coll. Thiébault-Sisson, Paris; *Rosenberg & Stiebel, Inc.*, New York, 1958; *Arnold Seligman, Rey & Co.*, New York; *Alfred Brod*, London, c. 1959

ex. *Rembrandt*, Raleigh, 1956, No. 61; *Rembrandt*, Indianapolis-San Diego, 1958, No. 28; *Rembrandt*, Leiden-Bolsward, 1968, No. 23

ref. Catalogues cited above/Catalogues des expositions citées; C. Vosmaer, *Rembrandt*, Den Haag, 1877, p. 474; K. Freise, *Pieter Lastman, Sein Leben und seine Kunst*, Leipzig, 1911, No. 24; J. W. von Moltke, "Salomon de Bray," *Marburger Jahrbuch*, 11–12, 1938–39, pp. 340–341, ill. 29; F. Saxl, *Rembrandt's Sacrifice of Manoah*, London, 1939, p. 7, ill. 13; K. Bauch, "Entwurf und Komposition bei Pieter Lastman," *Münchner Jahrbuch der bildenden Kunst*, 3–6, 1965, p. 213, note 3

Daan Cevat, Worthing, Sussex

PAULUS LESIRE

Dordrecht 1611–c. 1656 Dordrecht

Relatively little is known of his life, but his style reflects the Rembrandt of the Leiden and beginning of the Amsterdam periods. The earliest dated work presently known is an *Annunciation to the Shepherds* of 1635 in the Signorelli collection in Rome; it recalls Rembrandt's Passion series for Prince Frederick Henry. The portrait included here recalls not only Rembrandt but also the portraiture of another Dordrecht artist Benjamin Gerritsz. Cuyp. He also painted allegorical portraits such as those depicting a Lord and a Lady as Daifilo and Granida, 1641, formerly with Nystad N.V. in Den Haag. He also laid claim to history painting in the *Departure of Queen Mary of England from Scheveningen in 1643*. His portraiture in the 1650's followed the mode set by van der Helst.
Not a pupil

On ne connait que peu de chose de sa vie, mais il reproduit dans ses oeuvres le style de Rembrandt des époques de Leyde et des premières années à Amsterdam. Sa première oeuvre connue, d'après les recherches actuelles, est une *Annonciation aux Bergers* de 1635 dans la collection Signorelli à Rome; elle rappelle la série de peintures sur la Passion créées par Rembrandt pour le Prince Frédérick Henry. Le portrait exposé se rapporte, par son style, non seulement à Rembrandt mais aussi aux portraits d'un autre artiste de Dordrecht, Benjamin Gerritsz. Cuyp. Lesire nous a laissé des portraits allégoriques, comme ceaux qui montrent un Lord et une Lady déguisés en Daifilo et Granida, 1641, et qui appartenaient à Nystad N.V. à La Haye. Il prit sa place parmi les peintres de sujets historiques avec la toile montrant l'embarquement de la Reine Marie d'Angleterre, à Scheveningen, en 1643. Pendant les années 1650, il suivit la mode des portraits de van der Helst.
N'étudia pas avec Rembrandt

86. *Portrait of a Gentleman   Portrait d'un Gentilhomme*
pan. 19⅛×16 (48,5×40,6 cm)
s.d. *P. Lesire fecit, 1638*

ex. *Rembrandt*, Raleigh, 1956, No. 64

John and Mable Ringling Museum of Art, Sarasota

JAN LIEVENS

Leiden/Leyde 1607–1674 Amsterdam

The life of Lievens is one of those reminders that boundary lines are never a safe way to determine what an artist is or has been. His father was an embroiderer from Ghent. At the age of eight he served an apprenticeship with the Leiden painter Joris van Schooten; this was followed by two years further training with Pieter Lastman in Amsterdam. Lievens was thus an independent master about the time that Rembrandt became a "drop-out" at the University of Leiden. Around 1624 to 1625 he joined with Rembrandt in sharing a studio; this association with its close collaboration and moments of joint authorship lasted until the end of 1631. The belief is that Lievens then visited England to the court of Charles I and in 1635 moved to Antwerp becoming a citizen of that city. Brouwer, Van Dyck and Rubens caused fundamental changes in his artistic personality. In 1644 his restless nature drove him and his Flemish wife, Susanna de Nole, to Amsterdam and in 1654 to Den Haag, in 1659 once more to Amsterdam to leave again in 1669 for Den Haag, Leiden and finally to die penniless in Amsterdam in 1674. His most important commission came in 1642 when he was paid 1500 guilders for a piece for the town council chamber. His painting shows him as an eclectic artist, and it is in his drawings and engravings that one sees a consistent style (landscapes include Arnhem, Cleve, Antwerp, and many forts on the Rhine River). His last great effort for a public building was his large canvas of 1661, replacing Govaert Flinck's original design of 1659 for the Town Hall, now the Royal Palace in Amsterdam. It represents *Brinio Raised in Triumph on a Shield*; the Batavian chief and supporters are portrayed in costumes familiar to those recent veterans of the Eighty Years War but hardly in keeping with the Roman past. It has more in common with the two companion pieces by Jacob Jordaens of 1662 than with the *Claudius Civilis* of 1661 by Rembrandt.

Associate of Rembrandt 1624/25–1631

La vie de Lievens nous rappelle qu'il ne faut pas se fier aux frontières arbitraires pour porter jugement sur la valeur présente ou passée d'un artiste. Son père fut un brodeur de Gand. A l'âge de huit ans, Lievens commence son apprentissage chez le peintre de Leyde Joris van Schooten. Il travaille ensuite pendant deux ans dans l'atelier de Pieter Lastman à Amsterdam. Lievens était donc un maître indépendant et formé lorsque Rembrandt abandonne ses études à l'Université de Leyde. Vers 1624 à 1625 il partage un atelier avec Rembrandt; l'association des deux peintres qui collaborent étroitement et même produisent des oeuvres en commun, ne se termine que vers la fin de 1631. On croit que Lievens fait alors un voyage en Angleterre et visite la cour de Charles I et qu'il déménage à Anvers, où il obtient le droit de citoyenneté, en 1635. Brouwer, van Dyck et Rubens sont les causes d'une transformation profonde de sa personnalité artistique. Sa nature inquiète le fait quitter Anvers en compagnie de son épouse flamande, Susanna de Nole, et il s'établit à Amsterdam en 1644, puis, dix ans plus tard, à La Haye. En 1659 il retourne à Amsterdam qu'il quitte à nouveau pour La Haye et Leyde en 1669. Il meurt dans le dénuement à Amsterdam en 1674.

Il connut son plus grand succès en 1642 quand il reçut 1500 florins pour une oeuvre destinée à la salles des échevins. Il est un artiste au talent éclectique, qui démontre cependant une certaine unité de style dans ses dessins et eaux-fortes (il fit une série de paysages d'Arnhem, Clève, Anvers et bon nombre de châteaux-forts sur les bords du Rhin). Lievens peint son dernier grand tableau en 1661 pour l'Hôtel de Ville, quand on lui passe une commande pour remplacer le projet de Govaert Flinck. L'oeuvre se trouve maintenant au Palais Royal d'Amsterdam et elle montre *Brinio Porté en Triomphe sur un Bouclier*; le chef batave et ses guerriers portent des costumes que les vétérans de la Guerre de Quatre-Vingts Ans pouvaient reconnaître mais qui n'ont rien à voir avec l'histoire romaine. On peut rapprocher cette composition de deux oeuvres parallèles de Jacob Jordaens (1662) mais certainement pas du *Claudius Civilis* (1661) de Rembrandt.

Artiste associé de Rembrandt de 1624/25–1631

87. *Job*
$67\frac{1}{2}\times58\frac{1}{2}$ (170×145 cm)
mono. d. *IL 1631*, l.r./b.d.

coll. Capello, Amsterdam, sale/vente, May 6, 1667, No. 400; Johan van der Marck, Burgomaster of Leiden, sale/vente, May 28, 1773, No. 160; Anonymous/Anonyme, Amsterdam, sale/vente, July 26, 1775, No. 165; Lord Barrymore, Marbury Hall, Northwich, sale/vente, *Sotheby's* June 21, 1933, No. 23

ex. *Art Treasures*, Manchester, 1857, No. 688; *Rembrandt*, AGT, Toronto, 1951; *Rembrandt*, Leiden, 1956, No. 66; *Rembrandt*, Raleigh, 1956, No. 66, ill.; *Rembrandt to Van Gogh*, VAG, Vancouver, 1957, *Rembrandt*, Indianapolis-San Diego, 1958, No. 68, ill.; *Old Masters and The Bible*, Israel Museum, Jerusalem, 1965, No. 60, ill.; *Rembrandt*, San Francisco(-Toledo-Boston), 1966, No. 93

ref. Catalogues cited above/Catologues des expositions citées; *Dr. Waagen*, 4, p. 409; *Wurzbach*, 2, No. 46; *Thieme-Becker*, 23, No. 214; *Schneider*, pp. 35–36, No. 20, pl. 16; "Old Masters for Ottawa," *The Connoisseur*, 92, 1933, p. 193, ill., p. 153; H. Tietze, *Pantheon*, 17, 1936, p. 184; *Art Bul.* 22, 1, 1940, p. 41; H. Gerson, *Nederlandsche schilderkunst*, 1952, 2, p. 18, pl. 36; *Hubbard* I, p. 151; *Pigler*, 1, 1956, p. 206; Hubbard, *NGC Cat*, Ottawa, 1, 1957, No. 85, ill.; W. Stechow, "*Masterworks in Canada*," *Canadian Art*, 98, 1965, p. 52, ill. p. 51; *Rosenberg-Slive-Terkuile*, p. 85; V. Blom, *Maîtres flamands, hollandais et allemands à la Galerie nationale du Canada*, Ottawa, 1966, No. 18

The National Gallery of Canada/La Galerie nationale du Canada, Ottawa

JAN LIEVENS
88. *Portrait of a Woman   Portrait d'une Femme*
$47\frac{1}{2}\times39$ (120,6×99 cm)
mono. d. *L. 1650*, l.l./b.g.

coll. L. B. Coclers, Amsterdam, sale/vente, Apr. 8, 1816, No. 61; Sir William Cunliffe Brooks, *Christie's*, July 5, 1902

ex. *Rembrandt*, Raleigh, 1956, No. 67, ill.

ref. Catalogue cited above/Catalogue de l'exposition citée; H. Schneider, pp. 160, 182

Walker Art Center, Minneapolis

JAN LIEVENS
89. *Samson and Delilah   Samson et Dalila*
s. $16\times43\frac{11}{16}$ (131×111 cm)
mono. *IL*; u.r./h.d., the forged signature: *Rembrandt f. 1633*/inscription fausse, *Rembrandt 1633*

coll. Princes de/of Orange, Stadhouderlijk Hof "op de Galderije van Zijne Excellentie," Den Haag; J. St. Hensé, Bradford, 1895

ref. C. Hofstede de Groot, *Rembrandt-Urkunden*, Den Haag, 1906, p. 19, No. 18; Jhr. Dr. J. Six, "Bevestigde Overlevering," *O-H*, 37, 1919, pp. 84–86, ill. pl. II; (Inventar van 1632, No. 49), *O-H*, 47, 1930, p. 203, *Schneider*, p. 30, p. 94, No. 13; W. Martin, *De Hollandsche Schilderkunst in de Zeventiende Eeuw*, Amsterdam, 2, 1935-36, p. 105; A. Burroughs, *Art Criticism from a Laboratory*, Boston, 1938, p. 158, p. 162; *Bauch 1960*, p. 216, fig. 173a, *Gerson*, p. 26, fig. b

Rijksmuseum, Amsterdam

JAN LIEVENS

90. *Young Bacchus   Jeune Bacchus*
pan. $18\frac{1}{2} \times 14$ ($47 \times 35,5$ cm)

ref. K. Bauch, "Zum Werk des Jan Lievens," *Pantheon*, IV, 25, 1967, ill. p. 267

Kurt Meissner, Zürich

JAN LIEVENS

91. *Portrait of a Man in Profile   Portrait d'un Homme vu de Profil*
pan. $24\frac{3}{8} \times 19\frac{1}{2}$ ($62 \times 49,5$ cm)

coll. Mrs. E. S. Williams, Bath, Somerset

Marshall Spink, London

JAN LIEVENS

92. *Wooded Way Leading to a Village   Chemin boisé conduisant à un Village*
pan. $14\frac{3}{8} \times 16\frac{1}{2}$ ($36,5 \times 42$ cm)

coll. Van Es, Wassenaar; W. Fuller Maitland, London; Pendelarallo, London; *V. S. Bloch*, Berlin, 1931; *N. V. Internationaler Kunsthandel*, Den Haag

ex. BI, London, 1867, No. 82, (as/comme Rembrandt); RA, London, 1873, No. 122; *Antique-dealers Fair*, Museum Prinsenhof, Delft, 1953, ill.; *Rembrandt*, Leiden, 1956, No. 69; *Collectie Stichting P. en N. de Boer*, Singer Museum, Laren, end/fin 1964, Amsterdam, 1965, Sept. 18, 1966, p. 10, No. 109

ref. *HdG*, 6, No. 966 f.; *Schneider*, No. 313, ill. No. 31

Collectie Stichting P. en N. de Boer, Amsterdam

GERRIT LUNDENS
Amsterdam 1622–1683 Amsterdam

Son of Barent Lundens, he is known as a portrait painter and miniaturist. His special claim to recognition is his enlarged composition of Rembrandt's *Captain Banning Cocq and Company* (*The Night Watch*) in the National Gallery, London, and his water-colour album in the Rijksmuseum. He also painted small scale genre scenes of dances, shops and medical operations. His style reflects little influence from Rembrandt and is closer to that of Ostade and Molenaer. His brother-in-law was Abraham van den Hecken and he married an Antwerp lady, Agniet Mathys.
Not a pupil

Il est le fils de Barent Lundens, et son oeuvre contient surtout des portraits et des miniatures. Sa réputation est due d'une part à la copie agrandie qu'il fit de la toile de Rembrandt *Le Capitaine Banning Cocq et sa Compagnie* (*La Ronde de Nuit*), copie qui se trouve à la National Gallery, Londres; et d'autre part à son album d'aquarelles au Rijksmuseum. Il peint aussi des petits tableaux de genre montrant des danses, des magasins et des opérations chirurgicales. Son style ne s'apparente pas à celui de Rembrandt, mais plutôt à celui d'Ostade et de Molenaer. Abraham van den Hecken fut le beau-frère de Lundens et épousa une dame d'Anvers, Agniet Mathys.
N'étudia pas avec Rembrandt

93. *Merry Company   Joyeuse Compagnie*
24×20 (61×50,8 cm)
s. on the barrel/sur le tonneau

coll. *Van Diemen*, Berlin, 1924

ex. *Art Treasures of Vancouver*, VAG, Vancouver, 1951, No. 52

ref. Catalogue cited above/Catalogue de l'exposition citée

Mrs. Otto Koerner, Vancouver

NICOLAES MAES
Dordrecht 1634–1693 Amsterdam

Maes' youth is an enigma as is the date when he became a pupil of Rembrandt. His earliest dated works are of 1648 and were probably painted in Amsterdam as they echo the personality of Rembrandt. Among these are *The Christ Blessing Children*, National Gallery, London, and *The Adoration of the Shepherds* of 1653, The Montreal Museum of Fine Arts (No. 94). Never mawkish or sentimental in his genre scenes and his religious subjects Maes did give way to narrative tendencies often incidental in nature. Back in Dordrecht, Maes married, in January of 1654, Adriana Brouwers and, in September, a son was born only to die in 1656. Once away from Rembrandt, Maes' style became more individual and he favored genre and portrait subjects. From about 1660 he restricted himself to portraiture; in 1673 the Maes family acquired a house on 'tSteegoversloot in Amsterdam where the artist could find more numerous commissions at greater remuneration. While at one stage stylistic affinities with van Hoogstraten and Barent Fabritius his later portraits have a formal decorative quality suited to patrician taste, Maes was also a fine draughtsman.

Pupil about 1648

La jeunesse de Maes est un mystère et l'on ne peut préciser la date à laquelle il fit son entrée à l'atelier de Rembrandt. Ses premières oeuvres datées signalent l'année 1648 et furent probablement peintes à Amsterdam, car elles reflètent les traits caractéristiques de l'art de Rembrandt. Parmi ces tableaux, mentionnons *Le Christ bénissant les Enfants*, à la National Gallery, Londres, et l'*Adoration des Bergers* (1653), au Musée des Beaux-Arts de Montréal (no 94). Maes ne se montre jamais fade ou sentimental dans les tableaux de genre et les sujets religieux, mais il a tendance à les charger d'éléments narratifs marginaux. Il rentre à Dordrecht et y épouse, au mois de janvier 1654, Adriana Brouwers qui lui donne un fils au mois de septembre. L'enfant meurt en 1656. S'étant éloigné de Rembrandt, Maes adopte un style plus personnel, et d'adonne surtout aux sujets de genre et au portrait. A partir de 1660, il consacre toute sa production au portrait. La famille Maes achète une maison en 1673 et s'installe sur le 'tSteegoversloot à Amsterdam vile où il est plus facile de trouver des commandes qui, d'ailleurs, y sont mieux payées. Ses portraits, qui reflètent d'abord une certaine similitude de style avec ceux de Barent Fabritius et de van Hoogstraten, deviennent plus tard des oeuvres décoratives et distinguées adaptées au goût des clients patriciens. Maes est aussi un dessinateur de talent.

Elève vers 1648

94. *Adoration of the Shepherds   Adoration des Bergers*
pan. 23⅜×34¼ (59,4×87 cm)
s.d. N. Maes 1653

coll. J. van der Linden von Slingeland, Dordrecht; Destouches, Paris; Baron Vivant Denon, Paris; Marquis de Salamanca, Paris; *Drs. Fritz and Peter Nathan*, Zürich, 1965

ref. *HdG*, 6, No. 6; "Acc. of Americ. & Can. Mus.," *AQ*, 29, 3-4, 1966, p. 294; letter/lettre, P. Schatborn, XII, 3, 68 mentions study/étude, Museum Boymans-van Beuningen, Rotterdam (Inv. R.54. V.)

MMFA/MBAM. Bequest/legs, Horsley and Annie Townsend, 1965

NICOLAES MAES
95. *Portrait of a Scholar (Spinoza)   Portrait d'un Philosophe (Spinoza)*
35×28 (89×71 cm)
s.d. N. Maes/1666, on a book/sur un livre

coll. Hans Wendland, Paris; Hans Fritz Frankhauser, Basel

ex. *Memorial Exhibition*, NCMA, Raleigh, 1959, No. 84; *17th Century Paintings from the Low Countries*, Rose Art Museum, Brandeis University, Waltham, Mass., Feb. 27–Mar. 27, 1966, No. 23, p. 52, ill.

ref. Catalogues cited above/Catalogues des expositions citées

E. W., New York

NICOLAES MAES
96. *Bathsheba   Bethsabée*
pan. 15×13, (38×33 cm) c. 1655/vers

coll. Stephan von Auspitz, Vienna; *Bachstitz*, The Hague; Larsen, Noordivijk; Martin B. Asscher, London; Ch. van Spaendonck, Tilburg

ex. RA, London, 1932; *Rembrandt*, London, 1953, No. 52, ill. *Old Masters*, Gebr. Douwes, Amsterdam, ill.

ref. Catalogues cited above/Catalogues des expositions citées

Gebr. Douwes, Amsterdam

NICOLAES MAES
97. *Mother with Two Children in a Park   Mère avec deux Enfants dans un Parc*
33×39½ (83,8×100,3 cm)
s. *MAES*

coll. Dr. C. J. K. van Aalst, Hoevelaken, Holland

ref. *HdG*, 6, No. 551; *Catalogue Cramer XIV*, 1968, No. 55; Gerson, p. 152, ill.

G. Cramer Oude Kunst, Den Haag

NICOLAES MAES
98. *Portrait of a Gentleman   Portrait d'un Gentilhomme*
35½×28¼ (90,1×71,7 cm)

coll. Abraham Linzon, Moscow c. 1913 and later/et plustard Toronto

ex. *Masterpieces from Montreal*, 1966–1967, p. 27, No. 58, ill.

ref. Catalogue cited above/Catalogue de l'exposition citée; J. Steegman, Montreal Museum of Fine Arts, Catalogue of Paintings, 1960, No. 808, p. 85

MMFA/MBAM. Gift of/don de W. R. Brock Ltd., 1943

CAREL VAN DER PLUYM

Leiden/Leyde 1625–1672, Leiden/Leyde

Rembrandt's cousin, Carel or Karel van der Pluym was, in 1648, one of the leading members of the Guild of St. Luke. Given this fact, one may assume that his study with Rembrandt was prior to that date. In 1651 he married. By 1652 he was chief and in 1654 to 1655 Dean of the Guild of St. Luke; he was also the town plumber of Leiden. In 1659 he bought a house on the Steenschuur, and in the 1660's he was nominated to several trusteeships of local institutions. His painting favored subjects which had traditionally enjoyed the favor of Leiden patrons — vanitas themes, scholars in their dens and the occasional biblical theme.
Pupil probably in 1647

Carel ou Karel van der Pluym, cousin de Rembrandt, est en 1648 un des principaux membres de la Guilde de Saint-Luc. Cela nous semble indiquer que c'est avant cette date qu'il a dû étudier chez Rembrandt. Van der Pluym se marie en 1651. Il poursuit sa carrière et se trouve, en 1652, à la tête de la Guilde, dont il devient le doyen en 1654 à 1655. Il était en outre le plombier municipal de Leyde. En 1659 il achète une maison sur le Steenschuur et, en 1660, il est nommé fidéicommissaire de certaines institutions locales. Il peint surtout des sujets traditionellement appréciés des patrons d'art de Leyde, et produit bon nombre de "vanitas", de portraits d'érudits dans leur chambre d'étude et quelques tableaux bibliques.
Elève, probablement en 1647

99. *The Parable of the Labourers in the Vineyard   La Parabole des Ouvriers de la Vigne*
    17×21½ (43,2×54,6 cm)

coll. J. Searle, sale/vente, *Christie's*, June 7, 1856, lot 1, as/comme, Rembrandt; Sir Herbert Cook, Richmond (as/comme Rembrandt); Sir Frederick Cook, Bt.; Sir Francis Cook Bt. and the Trustees of the Cook Collection; *Alfred Brod Gallery*, London

ex. *Rembrandt*, London, 1953, No. 57, ill.; City of Manchester Art Gallery, on loan/prêt, 1964–1966

ref. J. O. Kronig, *Dutch and Flemish Schools* (Cook, Sir F. L. *A Catalogue of The Paintings at Doughty House*), London, 1914, No. 312; J. O. Kronig, "Carel van der Pluym", *Burl. Mag.*, 26, 142, Jan., 1915, p. 172, ill. p. 176; A. Bredius, "Karel van der Pluym", *Cicerone*, 1, 1918, pp. 47–51; A. Bredius, "Karel van der Pluym", *O-H*, 48, 1931, p. 241, ill.; M. Brockwell, 1932, pp. 74–75; Thieme-Becker, 27, p. 164

Dr. Willem M. J. Russell, Amsterdam

WILLEM DE POORTER

Haarlem 1608–1648 Amsterdam

We are told that de Poorter was a pupil of Rembrandt in Amsterdam; however, if the evidence of his own painting is to be accepted, he assimilated the love of still-life so frequently met with Leiden *vanitas* specialists. Most of de Poorter's pictures are small in size and are concerned with vanitas or biblical scenes which permit a play of fantasy. He was fascinated with the story of Esther and Ahasuerus as were a number of other pupils of Rembrandt. He also took up other themes which had preoccupied Rembrandt in the 1650's such as Minerva and Sophonisba. De Poorter must have carried these notions to Haarlem and Wijck bij Heusden where he resided from 1635 to 1645. His last years were spent in Amsterdam. He shares with Leonardt Bramer his manner of lighting his figures and the inclusion of extravagant accessories in his works.

Pupil 1631–1633

Il est dit souvent que de Poorter fut élève de Rembrandt, mais à en juger par le tableau présenté dans l'exposition, il suivit plutôt l'enseignement des spécialistes de Leyde qui se consacraient à la nature morte et surtout aux "vanitas". La majeure partie des peintures de de Poorter représentent en effet des "vanitas" ou des scènes bibliques qui lui permettent de mettre en oeuvre les dons de sa fantaisie. L'histoire d'Esther et d'Assuérus semble l'avoir fasciné, ainsi que d'ailleurs bon nombre d'autres élèves de Rembrandt. Il s'occupe aussi d'autres sujets que Rembrandt aimait à peindre pendant les annees 1630, telles que les légendes de Minerve et de Sophonisbe. Toutes ces idées, de Poorter les a sans doute introduites à Haarlem et à Wijck bij Heusden où il vécut de 1635 à 1645. Il finit ses jours à Amsterdam. De Poorter et Leonardt Bramer illuminent leurs sujets d'une manière presqu'identique et ils aiment aussi affubler leurs personnages d'accoutrements extravagants.

Elève 1631–1633

100. *Sophonisba Taking the Poisoned Cup?* *Sophonisbe recevant la Coupe empoisonnée?*
pan. 17¾×15⅛ (45×38,5 cm)
mono. W.D.P. l.l./b.g.

coll. *Galerie Sanct Lucas*, Wien

ref. "Acc. of Americ. & Can. Mus.," *AQ*, 24, 2, Summer 1961, p. 210, ill. p. 202

Museum of Art, Rhode Island School of Design, Providence

WILLEM DE POORTER
101. *A Man in Armour with Still Life*   *L'Homme à l'Armure avec Nature morte*
22½×19½ (57,1×49,5 cm)

coll. *E. and A. Silberman Galleries*, New York

ex. *Rembrandt*, Raleigh, 1956, p. 78, ill.; *Rembrandt*, Indianapolis-San Diego, 1958, No. 56, ill.; *Portraits Through the Ages*, Washington County Museum of Fine Arts, Hagerstown, 1963, No. 51; *An Exhibition of Old Masters*, E. and A. Silberman Galleries, New York, 1964, p. 30, ill.; *Seventeenth Century Painters of Haarlem*, Allentown Art Museum, Allentown, Penn., April 2–June 13, 1965, No. 61, p. 54, ill. p. 52; Washington County Museum of Fine Arts, Hagerstown, Maryland, indefinite loan/prêté pour une période indéterminée

William J. Alford, Naples, Florida

JACOB SYMONSZ. PYNAS
Haarlem c. 1585–1650 Delft

Pynas was one of the artists responsible for ushering in new ideas and then found himself behind the times. He was the son of a merchant Simon Jansz. Pynas. In

1605 he visited Italy to return to Amsterdam in 1608. The paintings included in the exhibition were painted in Amsterdam after his return from Rome and before he moved to Den Haag in 1622. He is included here as a forerunner of Rembrandt, and Houbraken believed that Rembrandt was Jacob Pynas' pupil for a month. After ten years in Den Haag he moved to nearby Delft where he became a member of the Guild of St. Luke. In the 1640's he made several visits to Amsterdam. His dated works are from 1617 to 1648. He, his brother Jan, his brother-in-law Tengnagel and Lastman brought their Italian training into the Dutch national school and introduced history painting.

Forerunner, possible teacher of Rembrandt

Pynas fait partie du groupe d'artistes qui ont lancé les idées nouvelles dans l'art hollandais. Mais, fait curieux, il se trouva bientôt distancé par celles-ci. Il est le fils du marchand Simon Jansz. Pynas. Il fait le voyage en Italie en 1605 et s'en retourne à Amsterdam trois années plus tard. Les tableaux de Pynas présentés ici furent peints à Amsterdam, après le retour de Rome et avant le déménagement à La Haye, en 1622. Nous le voyons en tant que disciple précurseur de Rembrandt, bien que Houbraken croit que ce dernier ait passé un mois d'apprentissage dans l'atelier de Pynas. Celui-ci après avoir séjourné dix ans à La Haye, s'installe à Delft où il est reçu membre à la Guilde de Saint-Luc. Durant les années 1640 il visite Amsterdam à plusieurs reprises. C'est à partir de 1617 que l'on trouve des oeuvres datées de sa main, la dernière portant l'année 1648. C'est lui, qui, avec son frère Jan, son beau-frère Tengnagel et Lastman, introduit les techniques italiennes au sein de l'école nationale hollandaise et donne un premier essor à la peinture historique.

Précurseur, peut-être maître, de Rembrandt

102. *Adoration of the Magi   Adoration des Mages*
oil on copper/huile sur cuivre, $16\frac{1}{2} \times 21\frac{7}{8}$ (41,9 × 55,5 cm)
mono. d. *1617*

coll. *Kleinberger & Company*, New York, 1959

ref. C. C. Cunningham, "Jacob Pynas' *Adoration of the Magi*," *Wadsworth Atheneum Bul.*, Winter 1959, p. 10–13, ill., cover/couverture

Wadsworth Atheneum, Hartford. The Ella Gallup Sumner and Mary Catlin Sumner Collection

JACOB SYMONSZ. PYNAS
103. *The Stoning of St. Stephen   Lapidation de St. Etienne*
pan. $29\frac{3}{8} \times 28\frac{3}{4}$ (74,6 × 73 cm)
mono. d. *J. P. f. Aü 1617* l.l./b.g.

coll. Esterhazy, Budapest; L. Ernst, Budapest, sale/vente, Budapest, 1923, No. 55

ref. G. von Terey, "Unbekannte Werke seltener niederländischer Maler des 17. Jahrhunderts," Cicerone, 18, 1926, p. 801, ill.; K. Bauch, "Beitrage zum Werk der Vorläufer Rembrandts," *O-H*, 53, 1936, p. 79, fig. 1, ill.; *Thieme-Becker*, 27, p. 478; L. Baldass, Belvedere, 13, 1938–43, 5–8 ill.; S. Slive, *Allen Memorial Art Museum Bulletin*, Oberlin College; L. Oehler, *Städel Institut Jahrbuch*, 1, 1967, 130, 20, No. 3, ill.

Dr. E. Schapiro, London

JAN SIMONSZ. PYNAS
Haarlem c. 1583/84–1631 Amsterdam

Brother of Jacob with whom he went to Rome in 1605 where he associated with Adam Elsheimer, Hagelstein, Goudt and Lastman; he was again in Amsterdam by 1607. He spent 1610 in Leiden. By 1613 he was again practising his art in Amsterdam with François Badens and the painter-poet Mattheus Tengnagel. A dated drawing of 1615 confirms a second trip to Rome, but from 1616 to 1628 he lived in Amsterdam. Twice married, once in 1619 and again in 1630 to Catherina Arens, a widow. David Bailly painted his portrait in 1621. His dated works are from 1601 to 1630; Rembrandt owned at least two of his works. He was strongly influenced by Venetian painting and by Domenico Feti. Jan Pynas was also the master of several painters, Steven van Goor, Gerard van Zijl and Rombout van Troyen, the last of whom is represented in the exhibition. Pynas also seems to have interested Barent Fabritius, and his influence is clear. With Lastman, Moeyaert, Tengnagel and his brother, he laid the foundations for history painting in the United Provinces.

Forerunner of Rembrandt

Frère de Jacob avec qui il va à Rome, en 1605. A Rome, il se lie avec Adam Elsheimer, Hagelstein, Goudt et Lastman. Il est de retour à Amsterdam vers 1607. Il passe l'année 1610 à Leyde. En 1613, on le retrouve encore à Amsterdam où il travaille en collaboration avec François Baden et le peintre-poète, Mattheus Tengnagel. Un dessin daté de 1615 prouve qu'il fit un second voyage à Rome, mais de 1616 à 1628, il vécut à Amsterdam. Il se marie deux fois, la première, en 1619 et, la seconde fois, en 1630, il épouse une veuve, Catherina Arens. David Bailly peignit un portrait de Pynas en 1621. Ses oeuvres datées s'étendent entre les années 1601 et 1630 et Rembrandt en possédait au moins deux. Il fut marqué très profondément par la peinture vénitienne et par l'influence de Domenico Feti. Jan Pynas forma un grand nombre d'élèves, entre autres, Steven van Goor, Gérard van Zijl et Rombout van Troyen; ce dernier est représenté dans cette exposition. Il semble que le genre de Jan Pynas ait eu quelque attrait pour Barent Fabritius, mais il influença certainement Lastman, Moeyaert, Tengnagel et son frère avec qui il est l'un des fondateurs de la peinture d'histoire dans les Provinces Unies.

Précurseur de Rembrandt

104. *The Entombment   Mise au Tombeau*
$28\frac{15}{16} \times 37\frac{3}{8}$ (73,5×95 cm)
s.d. *J. Pynas fecit 1607* l.r./b.d.

coll. Ernest May, 1919, No. R.F. 2246

ex. *Exposition de 700 Tableaux tirés des Réserves du département des peintures*, Musée National du Louvre, Paris, 1960, No. 458, p. 104

ref. Catalogue cited above/Catalogue de l'exposition citée; L. Demonts, "Sur quelques tableaux des écoles du nord récemment entrés au Louvre", *Revue de l'art ancien et moderne*, déc. 1920, pp. 304–305, ill. fig. 5, o. 305; L. Demonts, *Catalogue des peintures exposées dans les galeries du Musée National du Louvre, I, III, Ecoles flamande, holland-*

aise, allemande et anglaise, Paris, 1922, p. 114; K. Bauch, "Beiträge zum Werk der Vorläufer Rembrandts—I. Die Gemälde des Jan Pynas," *O-H*, 1935, p. 147, fig. 3, p. 148, p. 157, Note I

Musée National du Louvre, Paris

JAN SIMONSZ. PYNAS

105. *Abraham Sending Hagar and Ishmael Away   Abraham chassant Agar et Ismaël* (Genesis 21: 8–21)
pan. 30¾×41¾ (78×106 cm)
s.d. *Jan. Pijnas a 1614*

ex. *Adam Elsheimer Werk, Künstlerische Herkunft und Nachfolge*, Städelsches Kunstinstitut, Frankfurt-am-Main, Dec. 2, 1966–Jan. 31, 1967, p. 66, No. 92; *Rembrandt*, Leiden-Bolsward, 1968, No. 31, ill.

ref. Catalogues cited above/Catalogues des expositions citées; K. Bauch, "Die Elsheimer Ausstellung in Frankfurt-am-Main," *Kunstchronik*, 20, 1967, p. 91

Daan Cevat, Worthing, Sussex

CONSTANTIJN DANIEL VAN RENESSE
Maarsen (Utrecht) 1626–1680 Eindhoven

The first notice of the family is in 1638 in Breda where his father preached. From 1638 to 1642 Constantijn studied letters and philosophy at Leiden. His activity as an artist may have been second to his rôle as municipal secretary in Eindhoven, a post assumed in 1654. It was perhaps the security of that position that permitted him to marry Elizabeth Drabbe, daughter of the burgomaster of Breda in the same year. In 1649 he took drawing lessons from Rembrandt and probably knew Nicolaes Maes as a fellow pupil. His style is heavily influenced by Rembrandt especially by a print of 1636 and in the technique by Barent and Carel Fabritius.
Pupil 1649

Le premier indice de l'existence de sa famille se trouve, en 1638, à Bréda, où son père est ministre du culte. De 1638 à 1642, Constantijn étudie les lettres et la philosophie à Leyde. Le poste de secrétaire municipal qu'il assume en 1654 semble avoir fait passer ses travaux artistiques au second plan. C'est probablement à cause de la sécurité que lui procurent ses fonctions qu'il peut, la même année, épouser Elisabeth Drabbe, fille du bourgmestre de Bréda. En 1649, il prend des leçons de dessin de Rembrandt chez qui il fait probablement la connaissance de Nicolaes Maes. Son style reflète clairement l'influence de Rembrandt, comme le prouve une estampe de 1636, mais sa technique s'apparente davantage à celle de Barent et de Carel Fabritius.
Elève en 1649

106. *Christ Before Pilate   Le Christ devant Pilate*
46¾×38 (118,7×96,5 cm)
mono., base of the column/sur le socle de la colonne

coll. Reitlinger Collection, London; *Sotheby's*, Dec. 8, 1953 (as/comme Bisschop); *Mortimer Brandt*, New York ref. C. Brière-Misme, "Un Petit Maître Hollandais, Cornelis, Bisschop", *O-H*, 4, 1950, p. 148, ill., p. 149; "Acc. of Americ. & Can. Mus." *AQ*, Autumn 1960, p. 306, ill. (as/comme Cornelis Bisschop); *Catalogue of the Bob Jones University Collection*, 2, 1962, p. 308

Bob Jones University Collection, Greenville

ROELAND ROGHMAN
Amsterdam 1597–1686 Amsterdam

Possibly a pupil of Hercules Seghers, he was a life-long friend of Rembrandt and Gerbrand van den Eeckhout. He was a landscape artist of the first magnitude. Like Wenceslas Hollar, Lievens and Doomer, Roghman had made many views for topographical purposes and 241 such drawings were included in the Ploos van Amstel sale in Amsterdam in 1800. He reminds us of Philips Koninck in that he made a trip to Italy around 1650 with his sister Gertrude. It was Clifford Duits, in the autumn 1964 *Quarterly* published by his gallery, who noted the drawing of the Church of San Giacomo a Rialto.
Not a pupil

Roeland Roghman fut probablement l'élève de Hercules Seghers qui, toute sa vie, fut l'ami de Rembrandt et de Gerbrand van den Eeckhout. Il fut un excellent paysagiste. Tout comme Lievens et Doomer, Roghman exécute de nombreux dessins topographiques dont 241 furent inclus dans la vente Ploos van Amstel, à Amsterdam, en 1800. A l'instar de Philips Koninck, il fit, vers 1650, un voyage en Italie en compagnie de sa soeur Gertrude. Clifford Duits, dans le numéro de l'automne 1964 du "Quarterly" publié par sa galerie, signale le dessin de l'église San Giacomo a Rialto.
N'étudia pas avec Rembrandt

107. *Rocky Landscape with Waterfall   Paysage rocailleux à la Cascade*
31¾×39¾ (80,6×101 cm)
coll. Sir A. Chester Beatty

Daan Cevat, Worthing, Sussex, England

ROELAND ROGHMAN
108. *Landscape   Paysage*
48 7/16×59 7/16 (123×151 cm)
coll. vente/sale, W. Gruyter, Oct. 24, 1882, Amsterdam
ref. *Bernt*, 2, No. 679

Rijksmuseum, Amsterdam

CORNELIS SAFTLEVEN
Gorkum 1607–1681 Rotterdam

Uncle of the better known landscape artist Herman Saftleven, he was active in Utrecht and from 1648 to 1674 in Rotterdam, where he was a member of the

Guild of St. Luke. In 1648 he married a widow Catherina Dirskz. van der Heyde who died in 1654; in 1655 he married Elisabeth van den Avondt. In Rotterdam, Ludolf de Jonge became his pupil. His painting was concerned with landscapes and scenes of everyday life. His landscape composition reflects a tonal manipulation of light reminiscent of Rembrandt and Benjamin Gerritsz. Cuyp.
Not a pupil

Cornelis Saftleven, oncle du paysagiste mieux connu, Herman Saftleven, travaille d'abord à Utrecht, puis, de 1648 à 1674, à Rotterdam où il est membre de la guilde de Saint-Luc. En 1648, il épouse une veuve, Catherina Dirksz. van der Heyde qui meurt en 1654. L'année suivante, il épouse Elisabeth van der Avondt. A Rotterdam, il a comme élève, Ludolf de Jonge. Il peint de préférence des paysages et des scènes de la vie quotidienne. Ses paysages sont baignés de tons lumineux, un peu à la manière de Rembrandt et de Benjamin Gerritsz. Cuyp.
N'étudia pas avec Rembrandt

109. *Annunciation to the Shepherds   L'Annonce aux Bergers*
$28\frac{5}{16} \times 24\frac{1}{8}$ (72×107 cm)
s.d. *C. Saftleven, 1643*

coll. Glitza, Hamburg

ref. *Catalogue August L. Mayer*, p. 55; Kurt Bauch, *Studien zur Kunstgeschichte*, 1967, No. 53, pl. XXV

Kurt Meissner, Zürich

JAN TENGNAGEL
Amsterdam 1584–1635 Amsterdam

Father of the poet Matthys Gansheb T., and brother-in-law to Jacob and Jan Pynas. In 1608 he was recorded in Rome, and returned to marry in 1611. He was a member of the painter's Guild of St. Luke from 1619 onwards. He was the teacher of Laurens Hellewich, a minor painter. From his hand we have portraits from 1610 and in a group portrait of 1613, formerly the Rijksmuseum, portrayed himself as a sergeant of the Amsterdam Handboogdoele. Symbolic of the history painting that he helped to establish is the *Allegory of the Flowering of the Republic of the United Netherlands during the Stadholdership of Prince Maurits* in the Museum "Het Prinsenhoff" Delft.
Forerunner of Rembrandt

Père du poète Matthys Gansneb Tengnagel et beau-frère de Jacob et de Jan Pynas. En 1608, il est de passage à Rome. Il revient dans sa ville natale et se marie en 1611. De 1609 jusqu'à la fin de sa vie, il est membre de la Guilde de Saint-Luc. On sait qu'il fut le maître de Laurens Helleurich, un peintre mineur. Ses portraits datés, le sont à partir de 1610. Dans un portrait de groupe de 1613, autrefois au Rijkmuseum, il s'est peint sous les traits d'un sergent de la Compagnie de gardes "Handboog" de Amsterdam. L'allégorie décrivant l'essor de la République des Provinces Unies qu'il exécuta durant le stathoudérat du prince

Maurice et qui est maintenant au musée "Het Prinsenhof", à Delft, est un exemple de la peinture d'histoire dont il fut l'un des initiateurs.

Précurseur de Rembrandt

110. *Vertumnus and Pomona   Vertumne et Pomone*
oil on copper/huile sur cuivre, 8⅛×11¼ (20,7×28,6 cm)
s.d. *J. Tengnagel Fecit A° 1617*

coll. E. W. Johnson, Chichester; *Christie's*, London, Nov. 16, 1874, No. 506, (Atkins)

ex. *Rembrandt*, Leiden-Bolsward, 1956, No. 48

ref. Catalogue cited above/Catalogue de l'exposition citée; D. G. Carter, "A Vertumnus and Pomona by Gerbrand van den Eeckhout," *Bulletin, Herron Museum of Art*, Indianapolis, 53, 2, June, 1966, p. 42, ill. fig. 5

Daan Cevat, Worthing, Sussex

ROMBOUTS VAN TROYEN
Amsterdam c. 1605/15–1650 Amsterdam

Pupil of Jan Pynas with whom he spent seven years in Amsterdam; his works also reflect Rembrandt's influence from the early 1630's. His landscapes are freighted with the bizarre and the fantastic.

Not a pupil

Elève de Jan Pynas avec qui il passa sept ans à Amsterdam. Ses oeuvres reflètent aussi l'influence du Rembrandt des années 1630. Le bizarre et le fantastique sont les traits dominants de ses paysages.

N'étudia pas avec Rembrandt

111. *Phantastic Rocky Landscape by Moonlight, with the Adoration of the Magi*
Paysage fantastique au Clair de Lune et l'Adoration des Mages
pan. 11⅝×9¼ (29,5×23,5 cm)
s.d. *R. Troyen fecit, 1648*

coll. Viscount Chilston, England

Paul Drey Gallery, New York

JAN VICTORS
Amsterdam 1620–1676 India/Inde

His step-brother, Jacobus Victors, was a specialist in bird painting, and his own son Victor, was a painter. Jan Victors, himself, entered Rembrandt's studio in 1632 remaining until 1635 about the same time as Jacob Backer and Govaert Flinck. Victors shows a steady reliance upon Rembrandt figure compositions and on occasion those of his forerunners—Pynas, and Lastman. He prefers clarity of expression to dramatic mystery, and for that reason tends to find choice of subject affects his success. His palette is usually bright and accompanied by a judicious balance of accents. He married in 1642 and in 1661 became a widower with seven children; prior to his ill-fated voyage to the Indies he lived on the Kalverstraat.

Pupil 1632–1635

Son demi-frère Jacobus se spécialisa dans la peinture des oiseaux et son propre fils, Victor était aussi peintre. Jan Victors fut élève de Rembrandt de 1632 à 1635, à peu près en même temps que Jacob Backer et Govaert Flinck. Victors s'inspire habituellement des compositions de personnages de Rembrandt et de quelques-uns de ses précurseurs tels que Pynas et Lastman. Il préfère la clarté dans l'expression au drame et au mystère et s'aperçoit que le succès dépend souvent du choix du sujet. Les couleurs de sa palette sont généralement brillantes mais soigneusement équilibrées. Il se marie en 1642 et, en 1661, devient veuf avec sept enfants. Jusqu'à son voyage fatal aux Indes, il habite la Kalverstraat.
Elève 1632– 1635

112. *The Levite at Gibeah   Le Lévite à Gabao*
$40\frac{1}{2} \times 53\frac{3}{4}$ (103×134 cm)

coll. English private collection, before 1950/collection particulière anglaise, avant 1950

ex. *Arthur Tooth*, London, 1950, No. 17

ref. *Cramer—The Hague, Catalogue*, 15–1968, No. 61

G. Cramer, Oude Kunst, Den Haag

JAN VICTORS
113. *The Angel Taking Leave of Tobit and His Family   L'Ange Quittant Tobie et sa Famille*
$40\frac{3}{4} \times 51\frac{1}{4}$ (103,5×141,4 cm)
s.d. *JAN VICTORS f.c. 1649*

ex. *Rembrandt*, Raleigh, 1956, p. 123, No. 79

ref. Catalogue cited above/Catalogue de l'exposition citée

Victor D. Spark, New York

JAN VICTORS
114. *Expulsion of Hagar   Expulsion d'Agar*
$55\frac{1}{2} \times 70\frac{7}{8}$ (141×180 cm)
s.d. J. Victors 1650

coll. Oscar Bondi, Wien

ex. *17th Century Paintings from the Low Countries*, Brandeis University, 1966, p. 36 No. 15, ill.

ref. Catalogue cited above/Catalogue de l'exposition citée; R. Hamann, "Hagar's Abschied bei Rembrandt und in Rembrandt Kreis," *Marburger Jahrbuch*, 8–9, 1936, p. 501, fig. 43

E. W., New York

JAN VICTORS
115. *Esther Accusing Haman   Esther accusant Aman*
$63\frac{3}{4} \times 71\frac{1}{4}$ (162×182,3 cm)
s.d. *J. Victoors, 1651*, l.l./b.g.

coll. Edward Rice, Esq., Dane Court House, Deal, Kent

ref. "Rec. Acquisit," *Art Journal*, 27, 4, Summer 1968, p. 408, ill.

Bob Jones University Collection, Greenville

JAN VICTORS
116. *The Fishmonger   Le Marchand de Poisson*
$19\frac{1}{2} \times 25\frac{3}{4}$ (49×82 cm)
s. J. Victors f. l.l./b.g.

coll. *H. Shickman Gallery*, New York

ex. *Exhibition of Dutch Seventeenth Century Paintings*, H. Shickman Gallery, New York, Oct., 1967, No. 26, ill.; Metropolitan Museum of Art, New York, 1967, indefinite loan

ref. Catalogue cited above/Catalogue de l'exposition citée

Anonymous/Anonyme

JAN VICTORS
117. *Dutch Pastoral Scene   Scène pastorale hollandaise*
39×35 (99×89 cm)
s. *Jan Victors*, on the boat/sur la barque

coll. Count Zubow, Riga

ex. *Survey of Landscape Painting*, San Francisco Museum of Art, 1936, No. 103, ill.; Mills College, California, 1936; *Themes and Variations in Painting and Sculpture*, BMA, Baltimore, 1948, No. 41; *Life in 17th Century Holland*, Wadsworth Atheneum, Hartford, Nov. 1950–Jan. 1951, No. 55, ill., pl. XII; *Inaugural Loan Exhibition*, Greenville Art Center, North Carolina, May 1–15, 1960, cat. pp. 21, 30

ref. Catalogues cited above/Catalogues des expositions citées; *Bernt*, 3, p. 938, ill.

Paul Drey Gallery, New York

JACOB WILLEMSZ. DE WET
Haarlem 1610–1671

A painter of religious, historical, and mythological themes, his works are similar in format and content to those of Leonard Bramer, Willem de Poorter and Jakob van Spreekuwen. He was a pupil of Rembrandt from 1630 to 1632. Returning to Haarlem as had Willem de Poorter, he married in 1635, was bereaved and married again in 1639. Adriaen Verdoel, the still-life painter was his pupil. He was recorded often as a member of the Guild of St. Luke in Haarlem. His son Jacob de Wet Jr. followed his father's profession.
Pupil 1630–1632

La peinture religieuse, historique ou mythologique de cet artiste ressemble, quant au format et aux sujets, à celle de Léonard Bramer, Willem de Poorter et Jakob van Spreekuwen. Il fut élève de Rembrandt entre 1630 et 1632. Comme Willem de Poorter il retourna à Haarlem et se maria en 1635. Devenu veuf, il se remaria en 1639. Il fut le maître de Adriaen Verdoel, le peintre des natures mortes. On retrouve souvent son nom parmi les membres de la Guilde de Saint-Luc à Haarlem. Son fils, Jacob de Wet, embrassa la profession de son père.
Elève 1630–1632

118. *The Circumcision   La Circoncision*
pan. 16½×21½ (42×54,6 cm)

coll. M. van der Stadt, London; A. C. A. W. Baron van der Feltz, "Veldzicht", Brummen, Holland

ex. *Winter Exhibition of Fine Paintings of the European Schools*, Old Masters Galleries, London, Nov. 1–, 1968, No. 22, ill.

ref. Catalogue cited above/Catalogue de l'exposition citée

Old Masters Galleries, London

JACOB WILLEMSZ. DE WET

119. *Decollation of St. John   Décollation de saint Jean*
pan. $14\frac{1}{8} \times 20\frac{7}{8}$ (36×53 cm)
s. l.c./b.c.

ex. *17th Century Paintings from the Low Countries*, Brandeis University, 1966, p. 28, No. 11, ill., p. 29

ref. Catalogue cited above/Catalogue de l'exposition citée

E. W., New York

JACOB WILLEMSZ. DE WET

120. *Christ and the Woman Taken in Adultery   Le Christ et la Femme Adultère*
$17\frac{1}{2} \times 21\frac{1}{2}$ (44.4×54.6 cm)
s. *J. D. Wet*

Galerie Sanct Lucas, Wien

REMBRANDT VAN RIJN   c. 1626
Esther's Feast   Le Festin d'Esther
North Carolina Museum of Art, Raleigh

1

2

REMBRANDT VAN RIJN   c. 1624–25
Three Musicians (Hearing)   Trois Musiciens (L'Ouïe)
G. Cramer Oude Kunst, Den Haag

REMBRANDT VAN RIJN   c. 1624–25
The Operation (Touch)   L'Opération (Le Toucher)
G. Cramer Oude Kunst, Den Haag

3

4

REMBRANDT VAN RIJN 1627
The Flight into Egypt   La Fuite en Egypte
Musée des Beaux-Arts de Tours, France

REMBRANDT VAN RIJN c. 1628–29
Self Portrait *Autoportrait*
Daan Cevat, Worthing, Sussex, England

5

6

REMBRANDT VAN RIJN 1635
Young Man with a Sword   Le Jeune Homme à l'Epée
North Carolina Museum of Art, Raleigh. Gift of/don de, The Samuel H. Kress Foundation, New York

7

8

REMBRANDT VAN RIJN 1635
Syndic of Amsterdam *Portrait d'un Syndic d'Amsterdam*
Earl C. Townsend, Jr., Indianapolis

REMBRANDT VAN RIJN 1637
Esther Preparing to Intercede with Ahasueras   Esther se préparant à intercéder auprès d'Assuérus
The National Gallery of Canada/La Galerie nationale du Canada, Ottawa

9

10

REMBRANDT VAN RIJN
Self Portrait   Autoportrait
The Trustees of the Bedford Settled Estates and His Grace the Duke of Bedford

REMBRANDT VAN RIJN 1644
Portrait of a Lady with a Handkerchief   Portrait d'une Dame tenant un Mouchoir
Art Gallery of Ontario, Toronto

11

12a

REMBRANDT VAN RIJN 1652
Clump of Trees with a Vista
Bouquet d'Arbres dans une Clairière
Museum of Fine Arts, Boston, Harvey D. Parker Collection

12

REMBRANDT VAN RIJN 1654
Landscape with Cottages   Paysage avec Chaumières
MMFA/MBAM, Bequest/legs, Adaline Van Horne, 1945

REMBRANDT VAN RIJN 1655
Portrait of a Man in a Fur Lined Coat   Portrait d'un Homme portant une Pelisse
Trustees of the Fuller Foundation, Boston

13

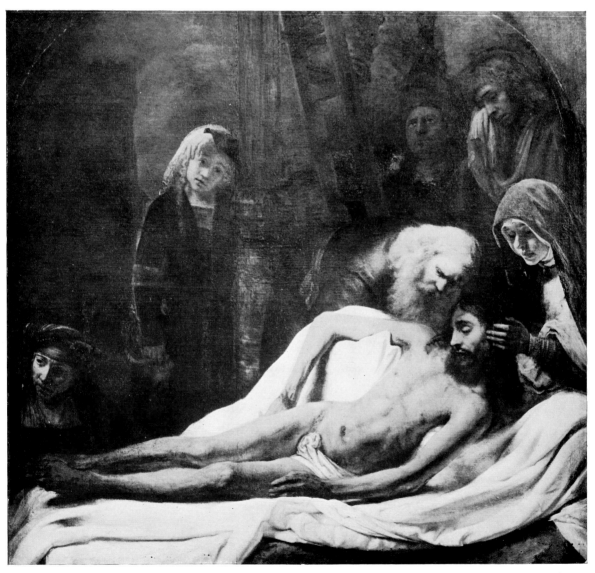

14

REMBRANDT VAN RIJN   c. 1660
Lamentation
John and Mable Ringling Museum of Art, Sarasota, Florida

REMBRANDT VAN RIJN   1660
Titus, The Artist's Son   Titus, le Fils de l'Artiste
The Baltimore Museum of Art, Bequest/legs, Mary Frick Jacobs

15

16

REMBRANDT VAN RIJN c. 1665
Portrait of a Lady with a Lap Dog *Portrait d'une Dame tenant un petit Chien*
Art Gallery of Ontario, Toronto

REMBRANDT VAN RIJN c. 1668
Portrait of a Young Woman   Portrait d'une Jeune Femme
MMFA/MBAM, Bequest of/legs de Mrs. R. MacD. Paterson, 1949, from the/de la collection R. B. Angus

17

18

SCHOOL OF/ÉCOLE DE REMBRANDT VAN RIJN
Portrait of Rembrandt   Portrait de Rembrandt
The National Gallery of Canada/La Galerie nationale du Canada, Ottawa

JACOB ADRIAENSZ. BACKER   1641
Portrait of a Lady   Portrait d'une Dame
Nelson Gallery, Atkins Museum, Fund/fond Nelson, Kansas City, Missouri

20

FERDINAND BOL 1644
Vertumnus and Pomona   Vertumne et Pomone
The Cincinnati Art Museum

FERDINAND BOL   1659
Portrait of a Gentleman   Portrait d'un Gentilhomme
The Art Association of Indianapolis, The John Herron Museum of Art,
Gift of/don de, Col. & Mrs. A. W. S. Herrington

21

22

FERDINAND BOL 1659
Portrait of a Nobleman   Portrait d'un Noble
Galerie Meissner, Zürich

FERDINAND BOL
Vanitas Portrait of Saskia   Vanitas Portrait de Saskia
Wildenstein & Co., Inc., New York

23

24

FERDINAND BOL
Self Portrait   Autoportrait
M. Knoedler & Company, Inc., New York

FERDINAND BOL
The Intrepidity of Gaius Fabricius in the Army Camp of Pyrrhus
L'Intrépidité de Gaius Fabricius au Camp de l'Armée de Pyrrhus
Amsterdams Historisch Museum

25

FERDINAND BOL
King Pyrrhus   Le Roi Pyrrhus
Dell Publishing Co., Inc., George T. Delacorte, Chairman

FERDINAND BOL
Magnanimity of Scipio   La Magnanimité de Scipion
Worcester Art Museum, Fund/fond, Charlotte E. W. Buffington

27

FERDINAND BOL

28
The Negotiations between Claudius Civilis and Quintus, Petilius Cerealis on the Demolished Bridge
Les Pourparlers entre Claudius Civilis et Quintus, Petilius Cerealis sur le Pont démoli
Ir. C. Th. F. Thurkow, Den Haag

FERDINAND BOL
Alexander before Diogenes   Alexandre devant Diogéne
The Art Museum, Princeton University

PAULUS BOR
Avarice
Cummer Gallery of Art, Jacksonville, Florida, Bequest/legs Ninah M. H. Cummer

LEONARD BRAMER c. 1638 - 1640
Solomon Praying in the Temple Salomon priant au Temple
MMFA/MBAM, gift/don de Mr. & Mrs. Neil F. Phillips

31

32

LEONARD BRAMER
Presentation in the Temple   Présentation au Temple
Mr. F. H. Fentener van Vlissingen, Vught

SALOMON DE BRAY 1641
A Shepherd Un Berger
Galerie Heim, Paris et Londres

33

BENJAMIN GERRITSZ. CUYP
The Annunciation to the Shepherds   L'Annonciation aux Bergers
Musée du Séminaire de Québec

BENJAMIN GERRITSZ. CUYP
Annunciation to the Shepherds   L'Annonciation aux Bergers
Paul Drey Gallery, New York

35

36

GERRIT DOU
An Evening School   L'Ecole du Soir
The Metropolitan Museum of Art, Bequest/legs, Lillian M. Ellis, 1940

37

38

WILLEM DROST 1654
Bathsheba   Bethsabée
Musée National du Louvre, Paris

WILLEM DROST
Portrait of a Man   Portrait d'un Homme
The Metropolitan Museum of Art, New York

39

40

WILLEM DROST
Self Portrait   Autoportrait
Kunsthandel P. de Boer, Amsterdam

WILLEM DROST
Portrait of a Seated Girl and Boy
Portrait d'une Jeune Fille et d'un Garçon
Kunsthandel P. de Boer, Amsterdam

41

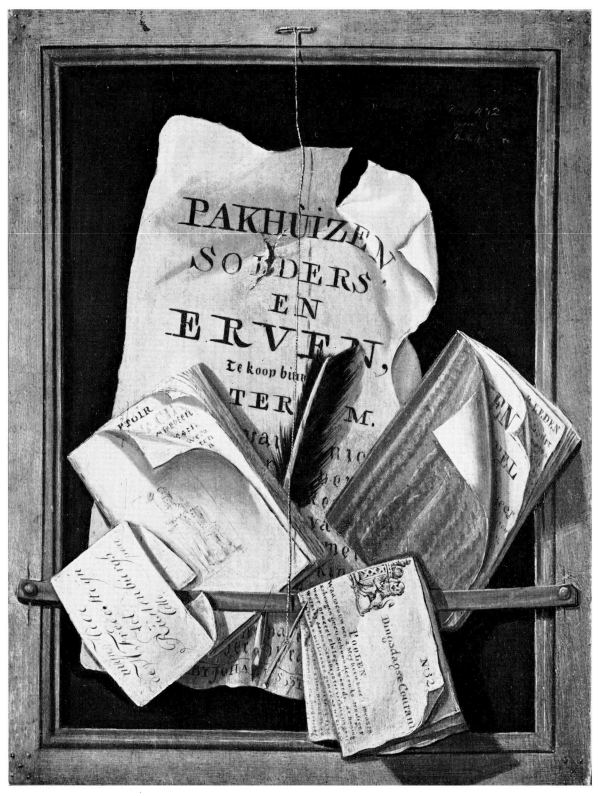

42

HEYMAN DULLAERT
Trompe-l'Oeil
Old Masters Galleries, London

ABRAHAM VAN DYCK
Grace before Meal   Le Bénédicité
E.W., New York

43

44

GERBRANDT VAN DEN EECKHOUT 1642
Gideon and the Angel   *Gédéon et l'Ange*
Dr. Otto J. H. Campe, Hamburg

GERBRANDT VAN DEN EECKHOUT 16..
Christ and the Woman of Samaria at the Well
Le Christ et la Samaritaine au Puits
David M. Koetser Gallery, Zürich

45

46

GERBRANDT VAN DEN EECKHOUT 1661
Rebecca at the Well Rébecca au Puits
H. Shickman Gallery, New York

GERBRANDT VAN DEN EECKHOUT   1667
St. Peter Healing the Lame   Saint Pierre guérissant le Boîteux
M. H. de Young Memorial Museum, San Francisco, Gift of/don de Mr. and/et Mrs. George T. Cameron

47

GERBRANDT VAN DEN EECKHOUT
The Laborer of Gibea Offering Hospitality to the Levite and His Wife
L'Ouvrier de Gabao offrant l'Hospitalité au Lévite et à sa Femme
E.W., New York

GERBRANDT VAN DEN EECKHOUT c. 1660
Vertumnus and Pomona   Vertumne et Pomone
The Art Association of Indianapolis, The John Herron Museum of Art

49

50

BARENT FABRITIUS 1656
St. Matthew and the Angel   Saint Matthieu et l'Ange
Daan Cevat, Worthing, Sussex, England

BARENT FABRITIUS
Hagar and Ishmael taking leave of Abraham   Agar et Ismaël prenant congé d' Abraham
F. Kleinberger & Co., Inc., New York

51

52

BARENT FABRITIUS
Gideon and the Angel   Gédéon et l'Ange
S. Nystad, den Haag

BARENT FABRITIUS
Hagar Leaving Abraham   Agar quittant Abraham   (Genesis, 21, 14)
M. H. de Young Memorial Museum, San Francisco

53

BARENT FABRITIUS
Portrait of an Old Man   Portrait d'un Vieillard
H. Shickman Gallery, New York

BARENT FABRITIUS
Christ and the Woman Taken in Adultery *Le Christ et la Femme adultère*
Walker Art Center, Minneapolis, Minnesota

55

56

BARENT FABRITIUS
Young Girl Plucking a Duck   *Jeune Fille plumant un Canard*
Dallas Museum of Fine Arts, Texas

BARENT FABRITIUS
The Prophet Elia and the Widow of Zarephtah   Le Prophète Elie et la Veuve de Sarephta
S. Nystad, Den Haag

57

58

CAREL FABRITIUS
Saint Peter in Prison Summoned by the Angel   *Saint Pierre en Prison appelé par l'Ange*
Museum of Art, Rhode Island School of Design, Providence

GOVAERT FLINCK 1638
Isaac Blessing Jacob   Isaac bénissant Jacob   (Genesis 27:15–16)
Rijksmuseum, Amsterdam

60

GOVAERT FLINCK   1640
Girl Beside a Baby-Chair   Jeune Fille près d'une Chaise
Royal Picture Gallery/La Galerie Royale Mauritshuis, Den Haag, 1903

GOVAERT FLINCK 1640
The Sacrifice of Manoah   le Sacrifice de Manoah
(Judges/juges 13, 2; 6–9; 17–22)
Marshall Spink, London

61

GOVAERT FLINCK 1641
Portrait of a Man   Portrait d'un Homme
S. Nystad, Den Haag

GOVAERT FLINCK 1648
Portrait of a Man   Portrait d'un Homme
Milwaukee Art Center Collection, gift of/don de Dr. & Mrs. Alfred Bader

GOVAERT FLINCK 1648
Portrait of a Woman   Portrait d'une Femme
Milwaukee Art Center Collection, gift of/don de, Dr. & Mrs. Alfred Bader

GOVAERT FLINCK c. 1640
The Return of The Prodigal Son   Le Retour de l'Enfant prodigue
North Carolina Museum of Art, Raleigh

65

66

AERT DE GELDER 1679
The Forecourt of a Temple   Le Parvis du Temple
Royal Picture Gallery/La Galerie Royale Mauritshuis, Den Haag, gift of/don de F. Kleinberger

AERT DE GELDER 1685
Simeon in The Temple   Siméon au Temple
Kunsthandel P. de Boer, Amsterdam

67

68

AERT DE GELDER   1689
Portrait of a Man (an Actor?)   Portrait d'un Homme (un Acteur?)
The Detroit Institute of Arts, gift of/don de Mr. & Mrs. William A. Fisher

AERT DE GELDER
Abraham and the Angels   Abraham et les Anges
Museum Boymans-van Beuningen, Rotterdam

69

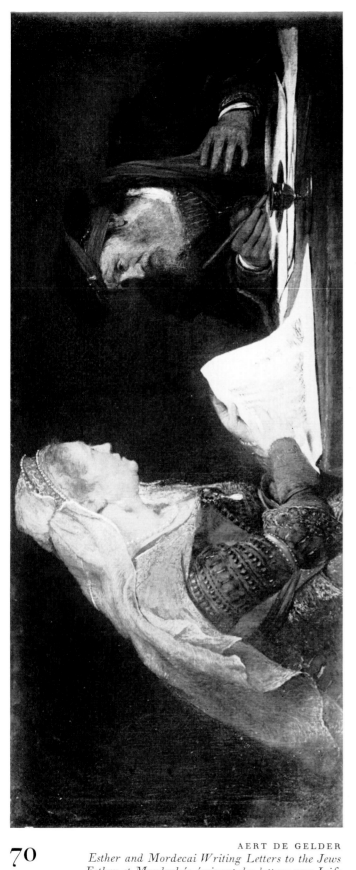

70

AERT DE GELDER
Esther and Mordecai Writing Letters to the Jews
Esther et Mardochée écrivant des lettres aux Juifs
(Esther 9)
Museum of Art, Rhode Island School of Design, Providence

AERT DE GELDER
An Allegory of Abundance   Allégorie de l' Abondance
H. Shickman Gallery, New York

72

AERT DE GELDER
Rest on the Flight into Egypt   Le Repos pendant la Fuite en Egypte
Museum of Fine Arts, Boston, Fund/fond Maria T. B. Hopkins

JAN DAVIDSZ. DE HEEM   c. 1635
Still Life: Vanitas   Nature Morte: Vanitas
MMFA/MBAM, Bequest/legs, Miss Adaline Van Horne, 1945

73

74

SAMUEL DIRKSZ. VAN HOOGSTRATEN 1663
Perspective Box of a Dutch Interior   Intérieur hollandais en Trompe-l'Oeil
The Detroit Institute of Arts, Founder's Society and Membership and Donations Fund

74

75

SAMUEL DIRKSZ. VAN HOOGSTRATEN   c. 1644
Young Woman Sleeping   Jeune Femme au Repos
Museum of Fine Arts, Springfield, Massachusetts

ISAAC DE JOUDERVILLE
Kitchen Interior   Intérieur d'une Cuisine
E.W., New York

76

BERNHARDT KEIL

77   *The Parable of the Labourers in a Vineyard   La Parabole des Travailleurs dans une Vigne*
MMFA/MBAM, Purchased/acquis, 1968, Bequest/legs, Horsley & Annie Townsend

BERNHARDT KEIL
Allegory of Winter   Allégorie de l'Hiver
Paul Drey Gallery, New York

78

79

BERNHARDT KEIL
Children Playing with Pigeons   Enfants jouant avec des Pigeons
Schaeffer Galleries, New York

PHILIPS KONINCK 1676
Landscape Paysage
Rijksmuseum, Amsterdam, Bequest/legs, L. Dupper Wz.

80

81

PHILIPS KONINCK 1656
Interior of an Inn   Intérieur d'Auberge
H. Schickman Gallery, New York

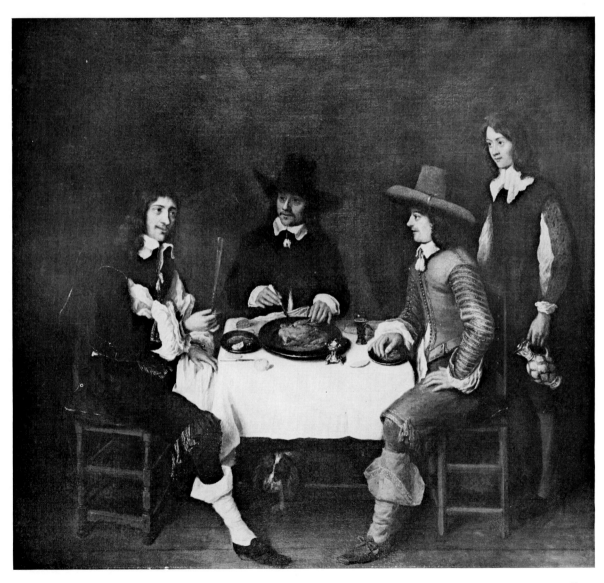

PHILIPS KONINCK
The Toast   Le Toast
E.W., New York

82

83

SALOMON KONINCK
A Jewish Philosopher   *Un Philosophe juif*
Mr. & Mrs. Alan Kantrowitz, New York

PIETER PIETERSZ. LASTMAN 1613
St. Matthew and the Angel   Saint Matthieu et l'Ange
Museum of Art, Rhode Island School of Design, Providence

84

85

PIETER PIETERSZ. LASTMAN 1627
The Sacrifice of Manoah   Le Sacrifice de Manoah
Daan Cevat, Worthing, Sussex, England

PAULUS LESIRE 1638
Portrait of a Gentleman   *Portrait d'un Gentilhomme*
John and Mable Ringling Museum of Art, Sarasota, Florida

86

87

JAN LIEVENS 1650
Portrait of a Woman   Portrait d'une Femme
Walker Art Center, Minneapolis

89

JAN LIEVENS
Samson and Delilah   Samson et Dalila
Rijksmuseum, Amsterdam

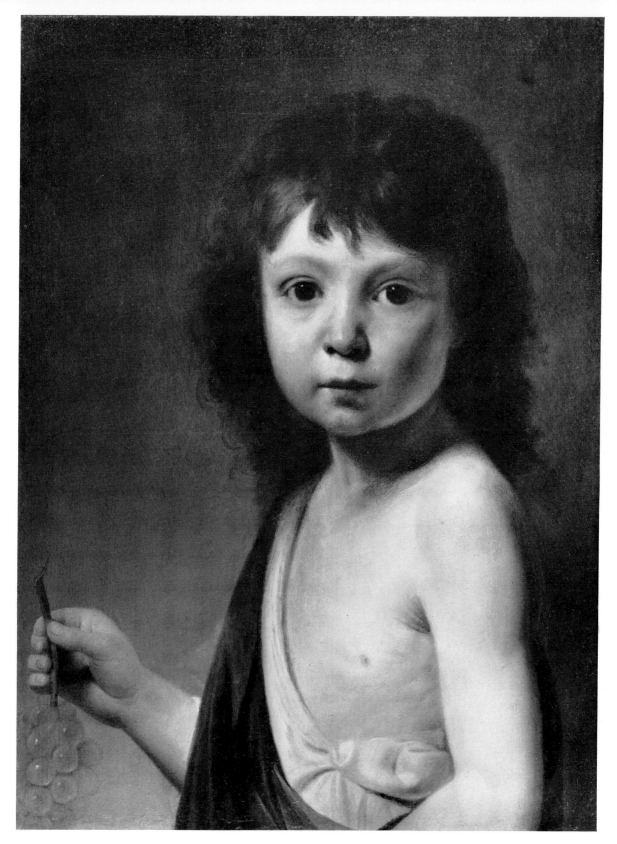

JAN LIEVENS
Young Bacchus *Jeune Bacchus*
Kurt Meissner, Zürich

90

JAN LIEVENS
Portrait of a Man in Profile   Portrait d'un Homme vu de Profil
Marshall Spink, London

JAN LIEVENS
Wooded Way Leading to a Village   Chemin boisé conduisant à un Village
Collectie Stichting P. en N. de Boer, Amsterdam

92

93

GERRIT LUNDENS
Merry Company   *Joyeuse Compagnie*
Mrs. Otto Koerner, Vancouver

NICOLAES MAES 1653
Adoration of the Shepherds   Adoration des Bergers
MMFA/MBAM, Bequest/legs, Horsley and Annie Townsend, 1965

94

95

NICOLAES MAES   c. 1655
Bathsheba   Bethsabée
Douwes Brothers, Amsterdam

96

NICOLAES MAES

Mother with Two Children in a Park *Mère avec deux Enfants dans un Parc*

G. Cramer Oude Kunst, Den Haag

NICOLAES MAES
Portrait of a Gentleman   Portrait d'un Gentilhomme
MMFA/MBAM. Gift of/don de W. R. Brock Ltd., 1943

98

CAREL VAN DER PLUYM

The Parable of the Labourers in the Vineyard   *La Parabole des Ouvriers de la Vigne*

Dr. Willem M. J. Russell, Amsterdam

WILLEM DE POORTER
Sophonisba Taking the Poisoned Cup (?)   *Sophonisbe recevant la Coupe empoisonnée* (?)
Museum of Art, Rhode Island School of Design, Providence

100

101

Man in Armour with Still Life   *L'Homme à l'Armure avec Nature morte*

WILLEM DE POORTER
William J. Alford, Naples, Florida

JACOB SYMONSZ. PYNAS 1617
Adoration of the Magi   Adoration des Mages

102

Wadsworth Atheneum, Hartford, Connecticut, The Ella Gallup Sumner and Mary Catlin Sumner Collection

103

JACOB SYMONSZ. PYNAS 1617
The Stoning of St. Stephen   Lapidation de St. Etienne
Dr. E. Schapiro, London

JAN SIMONSZ. PYNAS   1607
The Entombment   Mise au Tombeau
Musée National du Louvre, Paris

104

105

JAN SIMONSZ. PYNAS 1614
Abraham Sending Hagar and Ishmael Away   *Abraham chassant Agar et Ismaël*
Daan Cevat, Worthing, Sussex, England

CONSTANTIJN DANIEL VAN RENESSE
Christ Before Pilate   Le Christ devant Pilate
Bob Jones University Collection, Greenville, South Carolina

106

107

ROELAND ROGHMAN
Rocky Landscape with Waterfall   Paysage rocailleux à la Cascade
Daan Cevat, Worthing, Sussex, England

ROELAND ROGHMAN
Landscape   Paysage
Rijksmuseum, Amsterdam

CORNELIS SAFTLEVEN 1643
Annunciation to the Shepherds *L'Annonce aux Bergers*
Galerie Meissner, Zürich

JAN TENGNAGEL 1617
Vertumnus and Pomona   Vertumne et Pomone
Daan Cevat, Worthing, Sussex, England

110

111

ROMBOUTS VAN TROYEN 1648
Phantastic Rocky Landscape by Moonlight, with the Adoration of the Magi
Paysage fantastique au Clair de Lune et l' Adoration des Mages
Paul Drey Gallery, New York

JAN VICTORS 1644
The Levite at Gibeah   *Le Lévite à Gabao*
G. Cramer, Oude Kunst, Den Haag

112

113

The Angel Taking Leave of Tobit and His Family   L'Ange Quittant Tobie et sa Famille

JAN VICTORS 1649

Victor D. Spark, New York

JAN VICTORS   1650
Expulsion of Hagar   Expulsion d'Agar
W., New York

115

JAN VICTORS 1651
Esther Accusing Haman   Esther accusant Aman
Bob Jones University Collection, Greenville, South Carolina

JAN VICTORS
The Fishmonger   *Le Marchand de Poisson*
Anonymous/Anonyme

116

JAN VICTORS
Dutch Pastoral Scene   Scène pastorale hollandaise
Paul Drey Gallery, New York

JACOB WILLEMSZ. DE WET
The Circumcision   La Circoncision
Old Masters Galleries, London

118

119

JACOB WILLEMSZ. DE WET
Decollation of St. John   Décollation de saint Jean
E. W. New York

JACOB WILLEMSZ. DE WET
Christ and the Woman Taken in Adultery　*Le Christ et la Femme Adultère*
Galerie Sanct Lucas, Wien

3-102